O SEGREDO DO ORATÓRIO

Luize Valente

O SEGREDO DO ORATÓRIO

5ª edição

EDITORA RECORD
RIO DE JANEIRO • SÃO PAULO
2023

CIP-BRASIL. CATALOGAÇÃO NA FONTE
SINDICATO NACIONAL DOS EDITORES DE LIVROS, RJ

V249s Valente, Luize
5ª ed. O segredo do oratório / Luize Valente. – 5ª ed. – Rio de Janeiro: Record, 2023.

ISBN 978-85-01-09854-2

1. Romance brasileiro. I. Título.

12-1766

CDD: 869.93
CDU: 821.134.3(81)-3

Copyright © by Luize Valente, 2012

Texto revisado segundo o novo Acordo Ortográfico da Língua Portuguesa.

Direitos exclusivos desta edição reservados pela
EDITORA RECORD LTDA.
Rua Argentina, 171 – 20921-380 – Rio de Janeiro, RJ – Tel.: 2585-2000

Impresso no Brasil

ISBN 978-85-01-09854-2

EDITORA AFILIADA

Seja um leitor preferencial Record.
Cadastre-se em www.record.com.br e receba
informações sobre nossos lançamentos
e nossas promoções.

Atendimento e venda direta ao leitor:
sac@record.com.br

Milhares de judeus foram forçados à conversão em Portugal, por decreto real, no fim do século XV. Passaram a ser chamados de cristãos-novos. Em seguida veio a Inquisição. Muitos conversos fugiram para o Brasil. Alguns se embrenharam pelo Sertão. No breve período de domínio holandês no Nordeste, puderam retornar ao judaísmo. Fundaram em Recife a primeira sinagoga das Américas. Com a expulsão dos batavos, no século XVII, um pequeno grupo deixou Pernambuco. Após uma conturbada viagem chegaram à Ilha de Manhattan, onde estabeleceram a primeira comunidade judaica de Nova York.

Este romance é uma homenagem aos que foram, aos que ficaram.... e aos seus descendentes.

Para meus pais, que já partiram.
Para meu beshert, que veio de muito longe.
Para meus irmãos, André e Patrícia,
que estão sempre por perto.

PRÓLOGO

Manhattan, NY
29 de abril de 2000

— Ana? Ana, é você? Ana? — A voz soou longe quando a mão tirou o telefone da base.

Era Ioná. Mas o que ela estava fazendo no meio daquela praia? Ana reconhecia o sotaque levemente arrastado, mas não a via. O telefone pendia no ouvido, meio caído sobre o travesseiro. Aos poucos foi despertando. A praia foi sumindo e, subitamente, ela pulou da cama.

— Ioná! — respondeu, atônita, ao mesmo tempo que olhava o relógio na cabeceira: 6h05 da manhã. Tinha dormido menos de quatro horas. Levantou e saiu do quarto. — Que bom te ouvir! Estou tentando falar com você há dias! Deixei vários recados e nada! Você precisa saber o que está acontecendo por aqui.

— Desculpa não ter ligado antes.... e ter te acordado. — A voz de Ioná saiu baixa, abafada.

— Você pode ligar a hora que quiser! Mas ainda é cedo aí... — Ana sentiu que algo estava errado. — O que foi, Ioná?

Do outro lado, silêncio. Ioná olhou o relógio e esfregou os olhos. Não pregara o olho a noite toda. Tinha andado mais de setenta quadras, talvez oitenta. Uma leve brisa era o último resquício da madrugada fresca da primavera. Logo surgiriam os primeiros raios de sol e, com eles, os passos, as buzinas, o entra e sai do metrô. Mas, naquele momento, a rua era apenas dela e de uns poucos pedestres que voltavam do trabalho ou da noitada.

— Ioná? Que houve? Você está bem? — Uma Ana aflita trouxe Ioná de volta. Ela estava sozinha, próxima ao cruzamento de Chatham Square, no coração de Chinatown. Aproximou o fone da boca. Estava em uma cabine de esquina.

— Eu não vou, Ana. Estou ligando para dizer que não vou.

Agora foi a vez de Ana ficar muda.

Parte 1

Um mês e meio antes...

1

São Paulo
Manhã, 14 de março de 2000

O relógio tocou às 5h15. Ana despertou com a sensação de quem acabava de pegar no sono. Toda véspera de viagem era igual. Virava para lá e para cá, levantava, deitava. Ilaga, estirado ao lado, mantinha os olhos abertos, em vigília. Fitava Ana profundamente. Dois olhos perdidos em uma bola de pelos.

— Não me olhe assim... não posso levar você.

O cão virou o rosto e se pôs de barriga para cima. Ela afagou o peito branco e abraçou o bicho. Mesmo depois de três anos era doloroso deixá-lo a cada partida.

Olhou o relógio mais uma vez e suspirou. A ida a Recife não estava programada. Quando recebeu o telefonema da professora Ethel — com passagem e hospedagem pagas —, ela não pôde recusar. Não tinha como recusar. Levantou e pulou para o chuveiro.

Teria uma longa jornada pela frente. Acompanhar a historiadora em uma palestra era bem mais do que uma simples viagem de trabalho. Era um verdadeiro mergulho em horas e horas de conversas instigantes misturadas a deliciosas comidas e encontros inesperados. Pensando bem, era do que ela estava precisando.

2

— Ana, corre, filhinha, nós já estamos atrasadas! Moishe, cuida bem da minha *meidele*, não vai dar torradas com requeijão! Ai, eu morro só de pensar que ela vai ficar aqui. Osvaldo, passeia com ela todos os dias duas vezes no mínimo, no mínimo!

O segundo *no mínimo* saiu estridente e fino, com um toque dramático que colocava a professora Ethel no patamar das divas de Hollywood. A idade era um segredo mais bem guardado que as tábuas com os dez mandamentos, costumavam falar os alunos do curso de doutorado da Universidade de São Paulo. Ela também era dona de belíssimos olhos azuis que lhe concediam o poder de hipnotizar qualquer que fosse o interlocutor.

Uma das autoridades mundiais em Inquisição Portuguesa, a professora Ethel Mendelstein havia nascido na Rússia — numa família judia religiosa — e imigrado para o Brasil ainda adolescente. Veio com os pais, avós e dois irmãos, antes da Segunda Guerra Mundial. Chegaram ao porto de Santos no último navio que deixou a Europa, rumo à América do Sul, antes de o continente ser tomado — como ela costumava dizer — por uma onda de bestialização e acefalia comandada por um monstro de nome Adolf Hitler. E ainda enchia os olhos de lágrimas ao se lembrar dos que não conseguiram escapar. Mas no segundo seguinte a tristeza dava espaço à alegria e ela contava a história do avô devorando uma, não, três suculentas melancias na fila da imigração.

Ana fitou a cadelinha barriguda, esparramada no colo do motorista, e se lembrou de Ilaga. A essa hora ele estaria provavelmente escondido debaixo do armário da cozinha, o prato com melão picado, intocado. Era assim toda vez. Até que a empregada terminasse a arrumação da casa e balançasse a coleira. E ele se esqueceria de Ana e começaria seu dia de cão.

A professora Ethel embarcou na classe executiva e Ana seguiu para a parte de trás. Precisava estar relaxada e preparada para dias intensos de debates, trocas de cartões de visitas, conversas à mesa e discussões que viravam a noite sem um ponto final. Já era a sexta ou sétima viagem que fazia com a professora. Conhecia o ritmo, só não tinha a fórmula. Acompanhar aquele pique era um desafio que estava longe de ser superado.

A parceria tinha começado há dois anos, quando Ana lera uma matéria sobre uma pequena comunidade, no Sertão do Rio Grande do Norte, que mantinha hábitos judaicos dissociados de religião, herança da colonização portuguesa durante a Inquisição. Ana trabalhava em uma editora de revistas. Daí para propor uma coleção sobre a presença dos cristãos-novos no Brasil, dentro das comemorações dos 500 anos do Descobrimento, foi um pulo. E assim Ana conheceu a professora Ethel.

Foram meses de mergulho em um tema que apaixonou a jornalista desde o começo. Fosse pela empolgação da professora, fosse pela obsessão em transformar um assunto que ocupava os bancos acadêmicos em tema de bate-papo na mesa de jantar. Mas a coleção não aconteceu. Faltou patrocínio, o prazo era curtíssimo. Havia ainda uma série de outras razões, que ela via como desculpas para não emplacar um de seus projetos, que, sentia nas entrelinhas do chefe, não agradaria às massas. Ana discordava, mas quem afinal era ela? Frustração à parte, foi capturada pelo tema. Deixou a editora e passou a viver de traduções e outros bicos para se dedicar ao projeto... que nem mesmo ela sabia no que ia dar. Um livro, uma série de tevê, um documentário. Ou talvez apenas umas milhares de laudas e horas de gravação que ficariam no armário do quartinho dos fundos, na pasta reservada ao "pensar no futuro". Escrito com pilot verde.

3

Recife
Manhã, 14 de março de 2000

Ioná esticou as pernas e alongou os braços. Jogou o jaleco branco no ombro e deixou o hospital universitário. Mais 24 horas de plantão que quase viraram trinta por causa de uma bala perdida que acabou em cirurgia. Recife registrava um dos maiores índices de violência do país. Triste estatística para uma cidade que havia conhecido tanta glória durante o domínio holandês. E no dia seguinte ela ainda teria que acompanhar duas operações. Tentou trocar o plantão com um dos colegas, mas ninguém tinha cabeça para nada a não ser as provas de residência. Estava morta. Tinha planejado algumas horas de sono antes de seguir para o local da palestra da professora Ethel Mendelstein, no centro antigo da cidade. O tempo era curto.

Se passasse em casa, pensou, seria atraída pelo travesseiro, o colchão macio e o aparelho de ar-condicionado recém-saído da caixa. O melhor era tomar uma chuveirada rápida na casa do irmão, pegar uma roupa emprestada da cunhada e comer algo. Aproveitaria para dar um beijo nos sobrinhos que não via há semanas. Olhou o relógio. Tinha menos de cinco horas pela frente.

Precisava falar com a professora. Ela poderia ajudá-la a decifrar a história contada pela tia-avó.

Em outro ponto da cidade, um 737 fazia uma aterrissagem tranquila, apesar da chuva. Um rapaz franzino e loiro, segurando uma placa com o nome da professora Ethel, aguardava na saída do desembarque. Imediatamente pegou o carrinho com as malas enquanto se apresentava. Chamava-se Jan Araújo, era do interior do estado mas morava há dois anos na capital e conhecia tudo no Recife. Se quisessem comer ensopado de caranguejo ao molho de coco e dendê a dica era o bar do Petrônio, na praia de Boa Viagem. Se preferissem uma comida com tempero exótico, a opção era a Oficina do Sabor, em Olinda. E Jan seguiu por um sem-fim de locais que serviam de lagosta fresca e ensopado de ostra e mariscos a picanha de bode, galinha de capoeira à cabidela e macaxeira com manteiga de garrafa.

— De lamber os beiços! — frisava Jan a cada novo prato citado.

Ana fechou os olhos enquanto a professora Ethel dava corda à conversa falando de sua verdadeira adoração por camarão e lagosta — que seu falecido pai, que era rabino, não a ouvisse — e da delícia que era comer tapioca, com muito coco ralado, no café da manhã.

Chegaram ao hotel com a sensação de estômago saciado e — para Ana — um pouco embrulhado pela mistura de ingredientes, sabores, aromas e cachaças que temperaram a conversa do animado Jan no trajeto de menos de dez minutos. O rapaz se colocou à disposição para levá-las em um tour pela cidade.

— É fundamental visitar o castelo de Brennand com suas magníficas pinturas de Frans Post do período de domínio batavo. E para o lazer, um pulo em Porto de Galinhas, passando pela Praia dos Carneiros... não espalhem, a mais bela de nosso litoral! Lá se come a melhor moqueca de Pernambuco... na casa de minha mãe! — exclamou enquanto punha a última das três malas na porta do hotel e um cartão na mão de cada uma.

— Você é magro de ruim! — disse a professora enquanto lhe dava uma gorda gorjeta. — É para levar a namorada para jantar!

No saguão do hotel, pesquisadores do país inteiro se aglomeravam para pegar as chaves em meio a reencontros com velhos colegas. Como sempre a professora Ethel era o centro das atenções e cumprimentava o séquito com beijos e abraços calorosos. Ex-alunos, orientandos de mestrado e doutorado, professores de outros estados. Todos a conheciam.

Ana foi ficando para trás no turbilhão de gente. Achou uma brecha e conseguiu chegar ao balcão. Pegou a chave e saiu de mansinho, deixando a professora e a corte para trás. A chuva tinha passado, mas não o calor. O clima quente e úmido tornava o mar, logo à frente, o lugar mais convidativo para se realmente começar o dia. Ficaria para amanhã.

Entrou no quarto e abriu as cortinas. As ondas batendo na praia... como teria sido a chegada dos portugueses nas primeiras caravelas? E, pouco mais de um século depois, a partida daqueles que seguiram com os holandeses sem saber que destino os esperava?

Recostou na cama em meio a pensamentos que viajavam nos séculos. Os primeiros colonizadores que aqui chegaram.

Uns em busca das riquezas do novo continente, das promessas da colônia. Outros à procura de um lugar onde pudessem viver longe das fogueiras da Inquisição. Adormeceu.

A cochilada de cinco minutos se transformou num sono de duas horas. Ana acordou com o telefonema da professora Ethel. Pulou da cama para o chuveiro. Em vinte minutos estava no saguão, pronta para a maratona.

4

Ioná saltou do ônibus no centro antigo do Recife, local onde a cidade nasceu. Tinha algum tempo antes de seguir para o auditório da palestra. Aquele lugar a fascinava, não importava a sujeira das ruas, os bueiros entupidos, os meninos esparramados de tanto cheirar cola. Um novo mundo que escondia um passado glorioso sob rebocos malfeitos. Aos poucos a cidade vinha recuperando sua história. Caminhou até a rua do Bom Jesus, antiga rua dos Judeus.

Ali um capítulo perdido há mais de trezentos anos começava a vir à tona: a primeira sinagoga das Américas, a Kahal Zur Israel — a comunidade do Rochedo de Israel, uma referência aos recifes espalhados pela costa da capital pernambucana. Dali partiram os judeus que fundaram uma das mais atuantes comunidades judaicas do mundo, a de Nova York.

Há pouco mais de cinco meses a reforma do prédio tinha começado. Mas foi a confirmação, dada um mês antes por rabinos qualificados, que impulsionou as obras. Os religiosos — que vieram de São Paulo e Buenos Aires — anunciaram que o poço descoberto no subsolo de um dos sobrados, cheio de entulho, era na verdade uma espécie de banheira usada para o ritual do micvê — um banho de purificação, importantíssimo entre os judeus ortodoxos. Os rabinos confirmaram que as medidas do poço, o nível do piso, a localização estavam de acordo com o que determinava a Lei judaica. Era mesmo o lugar do banho, portanto ali tinha funcionado uma sinagoga.

Pela primeira vez, em 350 anos, preces em hebraico ressoaram na construção que havia sido testemunha de rituais e rezas judaicas durante o período de domínio holandês. Ali, entre as paredes dos sobrados 197 e 201 da rua do Bom Jesus, os judeus puderam pela primeira vez professar a religião livremente no Novo Mundo.

Nos últimos meses, Ioná tinha mergulhado nos livros de história. Através deles chegou à professora Ethel Mendelstein. Cada página trazia à tona um passado que, para surpresa dela, sempre fizera parte do seu presente. E que de certa forma apontava o caminho para a resposta de muitos de seus questionamentos. Algo que ela viria a descobrir quando, um mês e meio mais tarde, cruzasse as ruas de Nova York numa madrugada amena de primavera. Por enquanto, Ioná era uma exploradora dando os primeiros passos em um território desconhecido.

Começou pelos holandeses, que chegaram ao Brasil em 1630. E com eles também muitos judeus, grande parte de ascendência portuguesa. Descobriu que dentro dos quase setenta itens aprovados em Haia pelos Estados Gerais para as Colônias Holandesas nas Índias Ocidentais estava a liberdade de credo, daí o Brasil ter virado um destino atraente.

E, se a revelação soava estranha nos dias de hoje — passado judaico de origem portuguesa —, naquela época não causava estranhamento.

Isso tinha uma explicação simples. Era só voltar um pouco mais na história. Portugal no fim do século XV era muitas vezes chamado de nação hebreia, tamanho era o número de judeus que lá viviam. Entre eles estavam os judeus espanhóis que foram expulsos de seu país em 1492, pelos Reis Católicos Fernando e Isabel. A temida Inquisição que obrigou todos os judeus a deixarem a Espanha, o reino de Sefarad.

Os judeus que tinham mais posses fugiram para o Norte da África, para a Inglaterra, Holanda, Itália. Lugares onde pudessem professar a fé, mesmo que em guetos. Os que tinham menos seguiram para o vizinho Portugal. Na região fronteiriça da Extremadura, cidades como Marvão foram importantes pontos de entrada dos judeus no território lusitano. A torre da Portagem era o passaporte para a suposta liberdade no reino de Dom Manuel, desde que também se estivesse disposto a pagar. Não se sabe ao certo quantos atravessaram para Portugal. Estima-se que entre 15 mil e 120 mil judeus cruzaram a fronteira fugindo da Inquisição Espanhola. Portugal, na época, tinha uma população de um milhão de habitantes. Mais de 10% eram de origem judaica. Um número impressionante. Nos dias atuais, com seus oito milhões de habitantes, Portugal não tinha nem cinco mil judeus.

Enquanto Ioná olhava a nova construção, que surgia debaixo de tantas reformas e rebocos mal-arranjados, avançava mais e mais na história.

Os judeus eram comerciantes, banqueiros, médicos e conselheiros da nobreza. Participaram ativamente da época de ouro da Península Ibérica: a Era dos Descobrimentos. A América foi descoberta em 1492 e o próprio Brasil, oito anos depois. Com seus conhecimentos de náutica e astronomia, os hebreus eram excelentes navegadores e, além disso, traziam no sangue o espírito da aventura e da diáspora.

Mas este período áureo viu seus dias contados quando o rei Dom Manuel de Portugal casou-se, em 1496, com Isabel, filha dos Reis Católicos. Uma cláusula no contrato de casamento confirmava o eficiente trabalho do inquisidor geral Tomás de Torquemada.

Os dois reinos uniriam forças e riquezas se todos os judeus fossem expulsos também do território português. Dom Manuel buscou uma saída que agradasse a gregos e troianos — no caso, judeus e cristãos.

Não expulsou os judeus como queriam os espanhóis, mas tampouco os preservou sob sua proteção. Acabou com eles ao lançar um decreto em 1497 que obrigava todos a se converterem ao catolicismo. Nascia aí o termo que cinco séculos depois atormentaria a mente de Ioná: cristão-novo.

Um burburinho trouxe a jovem de volta. Um grupo de turistas, com rostos vermelhos suados e meias no tornozelo, se aproximava para uma visita às escavações.

Era uma surpresa — até para a própria equipe que coordenava o projeto — o interesse que a obra despertava. Recebiam dezenas de visitas por dia. E a reforma ainda teria longos meses pela frente.

Durante anos pesquisadores tentaram localizar a antiga sinagoga. Que ela tinha existido, não havia dúvida. Era citada em diversos documentos. Foi fundada com a chegada de Maurício de Nassau — que assumiria o comando da então capitania de Pernambuco — em 1637. Com ele vieram cientistas, artistas e toda uma leva de homens com uma visão mais progressista do mundo. Foi a partir desta época que os judeus que já habitavam Pernambuco — e os que chegaram com os holandeses — puderam realmente existir no novo país que era o Brasil. Muitos destes judeus viviam a religião às escondidas, dentro das suas casas e com seus pares. Eram recém-convertidos, que tomaram o batismo sem fé e camuflaram as práticas judaicas entre os costumes católicos, criando santos e tradições que foram se incorporando no passar das gerações.

Mas durante pouco menos de duas décadas, até a expulsão dos holandeses em 1654, puderam viver livremente como judeus.

Quase três séculos antes...

Nas quase duas décadas em que vivi em minha pátria não me tocou a espada da Inquisição. Preconceito, escarradas na rua, olhares virados, sim, mas não a perseguição do Santo Ofício. Será isso dádiva ou maldição? Pode aquele que nos dá o paraíso tirá-lo ao seu bem-querer? Meus mestres diriam que sim, Ele está acima de todas as coisas. A nós cabe aceitar, jamais questionar. Foi assim que entrei naquele navio rumo a um lugar onde pensei que continuaria a ser quem sou, ou quem era. No fundo eu sabia que não conseguiria voltar. No fundo eu sabia que o que realmente importava havia ficado... Meu verdadeiro tesouro. O único pelo qual valia viver. Eu poderia inventar desculpas, na época tinha apenas 17 anos. Mas se me foi permitido conhecer os prazeres da carne, não teria eu que assumir os compromissos do amor? Os jovens sempre se acham indestrutíveis. Soma-se a isso a covardia não assumida. Depois de viver toda uma vida em liberdade, sem ter que me esconder, cantando aos quatro ventos quem eu era, como poderia esquivar-me pelas esquinas e guardar-me às paredes da casa? Eu queria ser um grão rabino. Um rabino nascido no Novo Mundo, fora do cativeiro das meias verdades. Filho de converso, neto de converso, bisneto de converso. Que nascera retornado pleno. Honrar meus antepassados que nunca adoraram Deus de pedra ou madeira e sempre mantiveram a observância às Escrituras, que se reuniam em esnoga nos porões das casas e engenhos, que guardavam o sábado e o jejum do Dia Grande. Por isso fui embora. Para preservar meu legado e passá-lo às próximas gerações. Eu devia isso ao meu passado, só não sabia que não haveria futuro.

Yonah Ben David — Jonas, judeu da Aliança
SHEVAT, 5478 — Janeiro, 1718

5

Recife
Fim de tarde, 14 de março de 2000

A van parou na praça que dava para a rua do Bom Jesus. A professora Ethel saltou e imediatamente agarrou o braço de Ana.

— Meu tornozelo é um perigo, não me aventuro em saltos altos para evitar uma torção... mas com esse chão escorregadio! — exclamou enquanto tropeçava ao subir na calçada.

Endireitou-se e seguiu em frente como se nada houvesse acontecido. Essa era a professora Ethel. Determinada, com aquela certeza que não deixava espaço para o pessimismo. Incrível imaginar que aquela mulher que já tinha passado dos 70 anos não se entregasse aos medos da velhice. Atravessou a rua de paralelepípedos falando aos quatro ventos. Em volta, alunos atentos absorviam cada palavra que voava.

— Vejam que beleza de obra! — falou ao se aproximarem do prédio da sinagoga. — É magnífico vermos a recuperação dos nossos tesouros! Deem uma espiada rápida e não se atrasem para a palestra! Você também, Ana! Eu sigo com minha querida amiga Vânia, que temos muito assunto para pôr em dia!

Continuou pela rua enquanto os alunos e Ana ficavam para trás. O grupo seguiu apressado para a entrada.

— Você não vem, Ana? — perguntou o catarinense, especialista em cristãos-novos dos Açores. A todos empurrava a história das alheiras com carne de frango para enganar os inquisidores em Portugal.

— Vão indo, preciso tomar uma água! — respondeu para se livrar do rapaz.

Foi até o bar do outro lado da rua. Pediu uma água de coco e se pôs a observar a construção escondida por plásticos e andaimes.

— Mas, durante pouco menos de duas décadas, puderam viver livremente como judeus...

O comentário surgido do nada veio seguido de um esbarrão que fez Ana derrubar o coco. Levantou o rosto pronta para atacar. Mal tinha deixado São Paulo e já se defrontava com algum mal-educado, que andava correndo, sem olhar para a frente.

— Desculpa, mil desculpas! — O pedido realmente sincero desarmou-a. A moça, que devia ter pouco mais de 20 anos, se ofereceu imediatamente para pagar outro.

— Não precisa, já tinha terminado. Também estava distraída!

— Este lugar tem esse poder... transportar a gente para um outro mundo. — A moça sorriu antes de se virar e seguir pela calçada.

Ana acompanhou com o olhar. Realmente aquele lugar era mágico. Atravessou a rua e foi encontrar o resto do grupo na sinagoga.

6

O tumulto já estava formado há alguns metros do auditório. Dezenas de pessoas se concentravam na porta. O local era pequeno, pouco mais de cem lugares. Ou os organizadores calcularam mal ou o interesse que o assunto despertava estava muito além do imaginado. Por alto, mais de duzentas pessoas haviam se mobilizado para assistir àquela apresentação sobre os cristãos-novos nos 500 anos do Descobrimento.

O evento era gratuito e o jornal pedia pelo menos meia hora de antecedência para a retirada de senha. Ioná chegara 35 minutos antes... e o bate-boca dava os primeiros sinais de que ia esquentar. O motivo era simples. Muita gente tinha passado mais cedo e retirado um número, em alguns casos, vários. Resultado: a tal meia hora de antecedência chegou com as senhas esgotadas.

Ioná sentia a secura subir na garganta. Não podia acreditar naquilo. Estava virada, sem dormir, tinha enrolado desde a saída do plantão, e para nada. Ela não conseguiria chegar até a professora. Teria talvez que esperar pelo fim da palestra e tentar localizá-la. Não tinha ideia de como fazer isso. Não sabia nem como ela era. A única foto que conhecia era da contracapa de um livro, uma edição com mais de trinta anos.

Sentou no meio-fio e enterrou a cabeça nos braços. Estava cansada. Tinha apostado tantas fichas neste encontro. O que fazer agora? Ela precisava falar com a professora, nem que fosse por alguns minutos.

Pegou a caneta e o bloco que sempre carregava na mochila. A perna como apoio, começou a escrever um bilhete. Tinha que ser breve para que ela não desistisse de ler só de olhar, tinha que ser instigante para que ela ficasse curiosa.

"Cara professora Ethel Mendelstein,

Meu nome é Ioná. Sou médica, nascida na Paraíba, e há um ano descobri que pertenço a uma família cristã-nova. Nenhuma grande surpresa para a senhora, já que os conversos chegaram ao território paraibano desde as primeiras expedições da colonização. O que me fez escrever este bilhete foi a revelação feita por uma tia-avó..."

Continuou por mais dois parágrafos e colocou seu número de celular logo abaixo da assinatura. Agora vinha o mais importante. Entregar o bilhete a alguém que realmente fosse colocá-lo na mão da professora.

Foi neste momento que Ioná avistou a moça em quem esbarrara, há poucos minutos. Estava espremida no meio de um grupo de estudantes que balançavam as senhas sobre a cabeça. Correu para alcançá-la quase na porta do auditório. Com a ponta dos dedos, tocou no ombro da desconhecida. Ana virou assustada.

— Sou eu, a estabanada de agora há pouco... Preciso de um favor de vida ou morte! — foi a coisa mais imbecil que ela poderia ter dito. Mas foi a primeira que veio à cabeça.

— Este bilhete tem que chegar às mãos da professora Ethel. É muito importante que seja entregue a ela...

Ana agarrou o papel dobrado. A mão desapareceu na multidão.

7

Ana enfiou o bilhete no bolso. A mão coçava. Queria abrir e ler o que de tão importante havia ali. "Que diabos", pensou, "se ela não tivesse sumido tão rapidamente eu a colocaria para dentro". Afinal, de alguma coisa devia servir ser o "braço direito da professora Ethel". Era assim que se referiam a ela! "Quem seria essa jovem misteriosa com uma questão de vida ou morte?" Os pensamentos a acompanhavam enquanto procurava brechas entre as pessoas para conseguir um lugar.

O auditório estava praticamente lotado. E a fila lá fora era enorme. Alguém da organização tinha sugerido um telão. Mas a parafernália necessária era tanta que a ideia foi imediatamente descartada. "Não estamos em São Paulo, esqueceram?!" Como se fizesse realmente diferença. As pessoas costumavam achar que lá para baixo, como se referiam ao Sudeste, tudo funcionava. "Primeiro mundo", diziam. Mas não era bem assim, principalmente em eventos acadêmicos, organizados por professores que viravam assessores de imprensa, produtores culturais, apresentadores e programadores visuais. Nunca havia verba suficiente. Às vezes nem havia verba e ponto final. O evento no Recife estava bem acima da média. O auditório era equipado com cadeiras confortáveis e tinha excelente acústica. A questão era o tamanho: 168 assentos. O restante teria que se acomodar no chão, pelas laterais. Era o caso de Ana. Ao primeiro sinal de um espaço livre, pulou e sentou.

Do lado de fora, Ioná olhava a multidão que se espremia para entrar. Nem tentou se aproximar. As vias respiratórias não permitiam. Ter entregue o bilhete para aquela desconhecida já tinha sido um grande desafio. Uma asmática aprende desde criança seus limites. Lugares fechados e superlotados recebiam o símbolo da caveira. Teria que esperar pelo contato da professora Ethel. Lidava bem com a ansiedade. Tinha herdado a paciência milenar da mãe — talhada nas filas de espera dos postos de saúde do governo. Com quatro filhos e dinheiro contado era assim que as coisas funcionavam. Durante a infância, em João Pessoa, perdeu a conta do número de vezes que aguardou nos braços da mãe pela nebulização. Dos olhos dela, de um azul profundo que Ioná tinha herdado, tirava a força para manter o filete de ar que alimentava os pulmões. A menina que queria aspirar todo o ar do mundo não enchia nem uma caixa de fósforos.

Ioná estava confiante. Algo naquela moça a fazia acreditar que não só o bilhete, mas ela chegaria até a professora. O melhor a fazer agora era ir para casa dormir. O dia seguinte a aguardava com mais uma manhã agitada no hospital universitário.

Ana olhou o relógio. Quarenta minutos de atraso. As pernas dobradas em posição de Buda doíam. As pálpebras escorregavam. Sentia o peso da noite maldormida, das longas horas de voo e do sanduíche engolido às pressas na saída do hotel. Tudo o que queria era se enfiar embaixo do chuveiro — com água bem quente —, comer algo leve e mergulhar na cama.

O ruído da sintonia do microfone despertou-a. Os participantes da mesa se aproximavam. Primeiro, um arqueólogo da equipe de restauração da sinagoga, em seguida, a diretora do centro de referência judaica de Pernambuco e, por último, sob uma salva de palmas, a professora Ethel. Ana sorriu e balançou a cabeça. Certamente ouviria, no caminho de volta para o hotel, milhares de queixas sobre a desorganização, o atraso, o desrespeito com o público. Mas, no fim de tudo, quase na porta do quarto, a professora faria uma sutil referência às palmas. Uma forma de fechar a noite mostrando por que afinal tudo aquilo valia a pena.

A mesa foi aberta pela diretora do centro judaico. Agradeceu a presença de todos e fez uma breve apresentação dos participantes. Etapas de um protocolo que todos queriam pular.

Depois passou a palavra ao arqueólogo. As luzes se apagaram e uma sucessão de imagens foi projetada na parede à medida que a história do prédio vinha à tona.

— Os primeiros registros da sinagoga aparecem já nos inventários dos portugueses que retomaram Pernambuco depois de expulsar os holandeses, há quase 350 anos. Mas não se tinha ideia da sua localização exata. Passaram-se séculos até que o historiador José Antônio Gonsalves de Mello, durante pesquisas no Arquivo Municipal de Amsterdã, encontrou vários documentos referentes à Comunidade Judaica do Recife. Gonsalves de Mello, com S em vez de cedilha — o arqueólogo fez questão de frisar —, é um orgulho para nosso país! Recomendo a leitura de suas obras para quem se interessa pela presença holandesa no Brasil. Este primo de outro notório pernambucano, Gilberto Freyre, é autoridade máxima sobre a herança dos batavos por aqui. Quem assina embaixo é outro grande nome de nossa terra, e sumidade no assunto: Evaldo Cabral de Mello.

Ana gostava da forma como os pernambucanos — e os nordestinos em geral — conheciam sua história e tinham orgulho de seus conterrâneos. Era assim também no Rio Grande do Norte, na Paraíba, no Ceará. Não era preciso faculdade para gostar de estudar o passado. Havia conhecido um renomado médico, em João Pessoa, que dizia, "Casei-me com a medicina mas a história é minha amante". E via isso entre advogados, engenheiros, comerciantes. Pessoas que dedicavam horas a cavucar documentos e restaurar a memória.

— Quando eu voar, me chamem para a terra, senão não acabo hoje! — prosseguiu o arqueólogo voltando ao assunto da palestra. — Até que no início dos anos 90 nosso estimado colega José Luiz Mota Menezes, doutor em arquitetura e perito na história do judaísmo pernambucano, chegou à localização do prédio. Trabalho árduo que juntou a cartografia histórica com os relatos de Gonsalves de Mello. Mota Menezes, que está à frente do projeto, identificou primeiramente as construções pertencentes à Santa Casa da Misericórdia. A partir daí começaram os trabalhos de pesquisa arqueológica. Foram encontrados vestígios materiais da presença judaica, o mais importante deles, o local dos banhos de purificação, atestado recentemente pelo rabinato. Uma grande emoção para toda nossa equipe e nosso povo. Esperamos em breve que todos possam visitar o prédio restaurado e iniciar uma viagem a este glorioso passado de Pernambuco!

Encerrou a apresentação e passou a palavra para o nome mais esperado da noite. A professora Ethel começou a falar ainda sob aplausos. E terminou quando não tinha mais voz.

8

Mal abriu a porta de casa, Ioná jogou a mochila no sofá e seguiu para o chuveiro. Precisava de um banho quente antes de se atirar na cama. Sentia nos braços o peso de mais de 24 horas acordada. Sabia que o que fizera tinha sido loucura. No dia seguinte tinha duas cirurgias. Deixou a água escorrer forte na cabeça. Não escutou quando o celular tocou na sala. Muito menos checou o aparelho antes de se jogar na cama, completamente nua e exausta. O corpo ainda úmido se ajeitou sob o lençol fino e ela apagou.

Quatro chamadas não atendidas. Só saberia no dia seguinte, pouco depois de deixar o centro cirúrgico, que a mãe a procurara por toda a noite. As notícias não eram nada boas. Tia Ioná — irmã de sua avó já falecida e de quem levava o nome — tivera um derrame. O corpo da velha senhora dava os sinais de que finalmente se entregaria. Aos 80 anos — boa parte deles na lida da terra —, era um milagre que ainda resistisse. O médico ligou para a sobrinha em João Pessoa.

Logo em seguida, viria a ligação de Ana. Mas este seria apenas o começo do dia seguinte. Por enquanto a vida lhe reservava uma boa noite de sono. Dormiu profundo, sem sonhos.

9

Ana e a professora entraram no hotel por volta das nove horas da noite. Ana não aguentava mais a curiosidade. O bilhete coçando no bolso da calça. Até agora não havia conseguido cinco minutos que fosse, a sós, para falar sobre o estranho encontro. Aquelas pessoas não desgrudavam. Foi a professora terminar a palestra e o círculo humano se fechar à volta.

Na rua do Bom Jesus, os barzinhos lotados eram um convite para sentar e beber um chope gelado. Depois de tanto se falar sobre a sinagoga, era inusitado olhar a construção em meio àquele burburinho de centro revitalizado. Um dos pontos de maior movimento funcionava duas casas adiante do antigo templo religioso. Crianças de pés descalços vendiam balas enquanto limpavam o nariz com o dedo. As um pouco maiores jogavam capoeira ou engraxavam sapatos. Valia tudo por uma moeda.

Um refletor iluminava a Kahal Zur Israel, que só se manteria templo no nome na porta. O local não iria sediar ritos religiosos, seria mais um ponto turístico e centro de pesquisas. Foi ali, no entanto, que os judeus começaram sua história nas Américas.

Nascimento

O dia do meu nascimento foi festejado a quatro ventos. Meu pai era um bem-sucedido comerciante já nascido no Novo Mundo. Tinha motivos em dobro para comemorar. Além do primeiro filho — e varão — aos 38 anos —, os problemas de saúde de minha mãe levaram-na a perder cinco crianças — eu era a primeira geração, nascida livre, depois da conversão forçada de meu tetravô, na cidade do Porto, no ano maldito de 1497. Ele tinha 16 anos e foi batizado em pé com o resto da família enquanto esperavam os navios prometidos pelo rei de Portugal. Esta história acompanhou-me a infância. "Ficaram a ver navios", repetia meu pai. "Ficaram a ver navios." E agora, cento e quarenta anos depois, eu recebia seu nome em meu oitavo dia de vida, o dia do pacto: Yonah Ben David. E anos mais tarde, na rua dos Judeus, em Mauritsstad, Jonas da Aliança. Minha mãe, já em idade avançada para parir, — não tanto quanto Sara, que tinha 90 anos quando deu à luz Isaac — costumava contar-me as histórias do Reino de Israel. Considerava um milagre do inominável dar-lhe um filho aos 37 anos de idade, daquele ventre que nada vingava. Mesma dádiva que foi concedida à matriarca de nosso povo ao fazer crescer a semente de Abraão, que permitiu que nossa descendência se perpetuasse através dos tempos. Isaac, filho da primeira circuncisão, início da aliança perpétua. Eu era Isaac renascido.

Na nova terra minha mãe só tinha a meu pai. Ainda em Portugal, viu o próprio pai amaldiçoado pelo sambenito — o temido traje dos hereges — ser levado à fogueira. Denunciado ao Santo Ofício por observância do sábado e omissão do trabalho neste dia, aos poucos a lista de acusações de heresia se multiplicaram. Comerciante da cidade de Évora, teve todos os bens confiscados pelos cofres da Igreja. A mãe foi condenada ao cárcere e ao hábito penitencial perpétuo. Os três irmãos foram entregues a lares católicos para serem recuperados. As crianças eram anjos que não tinham que pagar pelos pecados de sua ascendência amaldiçoada. E ela, batizada Isabel como a rainha, foi dada à tia cristã-nova, casada com um proeminente cristão-velho. Homem rico, de idade avançada. Tão distinto que molestava a própria mulher. O nobre português ganhou terras da coroa no Brasil. Virou senhor de engenho nos primórdios da cultura canavieira. Meu pai viu minha mãe, pela primeira vez, a servir à mesa na casa de Dom Fernando. Cabisbaixa, exalava medo em cada movimento. Meu pai lá esteve acompanhando meu avô, um bem-sucedido mercador. O que quer que o cliente desejasse, do tabaco à seda, ele tinha. A primeira atividade de nossa família — e que fez enriquecer vários conversos na colônia — começou com um outro negócio: o tráfico de escravos. O bisavô de meu pai, José — para os de casa, David —, foi o primeiro de nós a chegar por aqui, em 1537, ano em que se constituiu a Vila de Olinda. Era filho do primeiro convertido à força de nossa família — entre os portugueses, chamado de João, o marrano — de quem levo o nome hebraico Yonah. José casou-se também com uma judia convertida que deu à luz Manoel, de nome secreto Samuel, que por sua vez foi pai de Antônio, para os de casa Isaac, que vem a ser meu avô. Vô Isaac, já desde o início do século

XVII, quando nasceu meu pai, havia mudado o ramo de atividade da família. Pois foi numa tarde de 1623, aos 24 anos, na casa do cristão-velho, que meu pai, Diogo, em casa David, apaixonou-se por Isabel, gente da Nação — como se referia a ela o tio cristão-velho. Um dia meu avô recebeu no pagamento de uma dívida dois escravos. Juntou, a uma pipa de vinho, azeite, conservas, peças de tafetá e perfume da França. Foi ter na casa de Dom Fernando, que considerou bom negócio a troca da sobrinha postiça — de poucas carnes — por tantas mercadorias. Já a esposa considerou uma bênção divina a boa fortuna que se apresentava à filha adotiva. Agradeceu ao Pai maior e naquela noite, ao deitar-se para mais uma rodada de martírio, disfarçou o asco em sorriso. "Enfim, sós", disse enquanto passava o perfume. Para não correr o risco de o ser repugnante voltar atrás em sua palavra de nenhuma honra. Assim, menos de um mês depois, meus pais receberam as bênçãos na Igreja de Santo Antônio do Carmo. Naquele momento, ao trocarem as juras eternas, prometeram a Adonai, seu Deus e Deus de seus pais, que nem eles, nem sua descendência, adorariam outra Lei que não a de Moisés. Quatorze anos depois, no dia 23 de janeiro de 1637, eu vinha ao mundo. Mesmo dia da chegada à capitania de Pernambuco do conde João Maurício de Nassau. Nascimento de uma vida. Recomeço de várias.

10

Recife
Noite, 14 de março de 2000

Quando Ana finalmente conseguiu um momento a sós com a professora já estavam a caminho do quarto.

— Professora, a senhora teria um minuto para mim? — disse já prevendo a resposta.

— Minha querida, para você eu tenho sempre uma hora!... Mas não podemos esperar pelo café da manhã? Eles me tiraram o couro! — respondeu com a voz rouca.

Ana fitou o chão em losangos do elevador. Meteu a mão no bolso e tirou o bilhete. Suspirou e encarou a velha senhora que naquele instante apontava os sinais da idade.

— Queria conversar sobre isso — e passou o bilhete para ela. — Fiquei curiosa mas não li... foi pedido que entregasse à senhora. Uma jovem que não conseguiu entrar na palestra... não sei... mas acho que temos algo aí.

— Pois bem, Ana! Aposto que é mais um destes enlouquecidos que me procuram dizendo ser judeus! Eu digo a eles, eu não sou religiosa, eu sou historiadora! Tenho horror a fanatismo!

Pegou o bilhete enquanto abria a porta do quarto.

— Amanhã damos uma olhada durante o café.

Ana permaneceu atrás, muda. A professora deu um suspiro longo e cruzou os braços.

— O que é que você não consegue, Ana? Você é fogo, viu!

Ana olhou para ela impassível.

— O que está esperando? Entra! Mas tem uma condição de que eu não abro mão...

Foi a vez de Ana falar.

— Está bem... eu como pelo menos duas fatias, mas pode ser de rúcula?

— Não, vai ser uma marguerita! Está decidido! E você pede! — falou enquanto seguia para o banheiro.

Ana concordou sorridente. Costumava brincar que as viagens que faziam sempre acabavam em pizza. Enquanto a professora se afastava, pediu secretamente que ela vivesse por muitos e muitos anos. No fundo queria que ela vivesse para sempre. Nos últimos dois anos, aquela energia tinha muitas vezes sido a única motivação para Ana se levantar.

A morte da mãe — em um acidente estúpido de carro — veio menos de oito meses depois da morte do pai. Mas, enquanto ele definhou durante três longos anos por causa de uma doença degenerativa, a mãe foi embora em um segundo. Assim, num piscar de olhos, mais uma estatística para rechear os jornais.

Um menor de idade pega o carro do pai. Depois de virar a noite bebendo, volta para casa dirigindo. No banco de trás, e no carona, os amigos dormem babando no vidro. É sábado, por volta das sete da manhã. Uma mulher saudável, que está prestes a completar 60 anos — mais precisamente em duas semanas —, sai para sua corrida matinal. Para ela todos os dias são assim. Cuidar do corpo é cuidar da mente. Prefere as noites bem-dormidas — no máximo uma taça de vinho, no fim da tarde. Aquela é sua rotina. Segue em direção ao Parque do Ibirapuera, a duas quadras de sua casa. Respira o ar tão raramente puro em São Paulo. Prepara-se para atravessar a avenida República do Líbano. A rua está deserta, mas mesmo assim ela para e espera o sinal fechar. Lá no fundo, um carro se aproxima. O resto está no jornal.

O socorro chegou rápido mas ela já tinha ido. No carro mais à frente, enfiado na mureta do parque, os outros companheiros daquela viagem.

— Ana querida... Nossa pizza demora? Tomei uma chuveirada que abriu o apetite! — A voz da professora a trouxe de volta.

— Já deve estar chegando! — respondeu enquanto passava a mão no canto do olho para esconder a lágrima. — E o bilhete? Não está curiosa?

11

**Córrego do Seridó, Sertão da Paraíba
Noite, 14 de março de 2000**

A cidade de duas ruas e chão de pedras mal-acertadas parecia perdida no tempo. Neste quase início do século XXI o telefone ainda era novidade e a tevê habitava só as casas mais abastadas. Cadeiras eram postas no lado de fora depois do jantar, ainda com o dia claro. As portas e janelas de madeira eram coloridas e o chão de cimento. Ao contrário do que se poderia imaginar em pleno Sertão, ali chovia. E em algumas noites fazia frio. Essa era uma destas noites.

Três números abaixo da casa de tia Ioná, Maria Mocinha dava os últimos pontos na mortalha de algodão. O pano que há dois anos descansava no fundo do armário seria usado. Tia Ioná havia encomendado a uma conhecida de Campina Grande que visitava a cidade vez por outra. Pediu a dona Zefa que cortasse e a Maria Mocinha que cuidasse da costura.

— Ai, comadre! — respondeu Mocinha fazendo o sinal da cruz. — Dá cá esse pano que eu faço uma saia bonita!

Mas ela não arredou pé e fez a costureira prometer que prepararia a mortalha. Agora, que a hora se aproximava, Mocinha pegou o corte embalado em folha de seda. E assim como aprendera com a mãe, passou a peça na máquina, em um só sentido, fazendo pontos bem grandes. Como se costurasse na mão. Sem dar nó, sem voltar o ponto e amarrar. Tinha que ser direto. Por quê? Não sabia.

— Não pergunte, Maria Mocinha — pareceu ouvir as palavras da mãe —, apenas faça, o povo da antiguidade fazia assim. E nunca ninguém voltou para reclamar!

Nos últimos tempos as mortalhas viraram raridade. Só os mais velhos ainda lembravam do antigo costume. E a comadre Ioná a fez prometer enquanto tinha saúde que assim seria no seu dia. Uma lágrima escorreu sobre o pano branco. A companheira de tantas batalhas ainda respirava três casas acima. Mas sentia que o sírio da morte rondava a porta e entraria a qualquer momento. O padre da cidade vizinha fora chamado. Também já tinham avisado a sobrinha, em João Pessoa. Mas quem a comadre queria ver antes de morrer era a sobrinha-neta, a jovem médica, também Ioná. Dona Mocinha tinha certeza de que era essa espera que a mantinha viva.

12

Recife
Noite, 14 de março de 2000

Ana e a professora devoraram a pizza. A professora, porque estava faminta. Ana, porque tinha pressa. A curiosidade a consumia por dentro.

Não havia parado para pensar o que de tão revelador poderia conter aquela simples folha pautada. Era a situação que a fascinava. O esbarrão em frente à sinagoga. E em seguida ser a portadora do bilhete para a professora. Desde o acidente da mãe, Ana não acreditava mais no acaso. Não existiam coincidências, se estávamos em determinado lugar era para cumprirmos o destino. E talvez o de Ana fosse ajudar aquela moça, que ainda não tinha nome.

— E agora vamos ao tal bilhete misterioso... — disse num rompante a professora para, em seguida, completar: — Eu já adianto que você está pondo expectativas demais... já conheço essas histórias, todos têm algo revelador... mas querem o aval do rabino!

A professora abriu o bilhete. Era curto, apenas três parágrafos. Bem redigido e muito educado. Passou para Ana, que também leu rapidamente. As duas se entreolharam.

— Eu não disse? — suspirou enquanto consolava a moça.
— É sempre a mesma história. Alguém descobre uma tia idosa, bem religiosa, que a certa altura da vida resolve contar que aquelas tradições da família não são exatamente católicas. Embora todos sejam batizados e frequentem a igreja. Aí começa a cavucar uma série de costumes, procurar a origem.

— Mas, professora, ela diz aqui que a tia falou... — não terminou a frase. Foi cortada pela professora Ethel, que gesticulava enquanto prosseguia o monólogo acalorado.

— E de repente a história escusa do Brasil vem à tona! Temos mais sangue judeu nas veias do que talvez queiramos aceitar! E o termo cristão-novo, de que tanto ouvimos falar, deixa de ser apenas aquele descendente de português, que tem nome de árvore ou bicho, para ser alguém que sofreu na carne e na alma a perseguição da Santa Sé. Seria perfeito se esta iluminada questionadora enveredasse pelos caminhos da história! Saberia mais sobre estes brilhantes homens e mulheres que resistiram e sobreviveram sem renegar seu passado de orgulho para a Península Ibérica! Mas, em vez disso, ela quer outra coisa: quer sair das garras do papado para as asas do rabinato!

Ana suspirou enquanto a professora tomava fôlego para continuar o discurso. No fundo ela tinha razão. Não havia como argumentar.

— O fato, Ana, é que, quando vejo estes jovens descobrindo suas raízes e tendo a chance de resgatar o passado e passá-lo às próximas gerações, fico louca quando farejo a religião. Se você visse Belmonte, em Portugal, na década de 1960 e trinta anos depois, você me entenderia. O último reduto do autêntico marranismo português, que durante séculos manteve a memória dos conversos, transformado em um gueto do Leste Europeu, com ortodoxos barbados, de chapéu e ternos pretos! — exclamou levando as mãos à cabeça. — Por que Israel não mandou para Belmonte professores que ensinassem a história judaica e a história de Portugal?... Mas mandaram rabinos... É isso o que querem aqui? Esse resgate? — encerrou abruptamente, com a pergunta no ar.

— Acho que a senhora está certa — respondeu Ana enquanto relia, em voz baixa, o último parágrafo da carta.

Antes do contato com minha tia-avó, eu estava disposta a me converter, a abraçar o judaísmo pelas vias da conversão. Quando descobri a origem de minha família materna — e que pela definição ortodoxa judeu é o filho de mãe judia —, vi que a conversão não valia para mim. Por que eu não sou gói. Eu sou judia. Uma judia que se afastou das raízes e tradições mas que mantém o judaísmo de sua semente. E que agora quer oficialmente retornar à religião ancestral.

A professora levantou e deu um beijo na testa de Ana.
— Mas, apesar de todo este discurso, fiquei intrigada! Afinal é uma bela carta, e quantas vezes, desde que você me acompanha, encontramos uma mulher com estes questionamentos? Vamos fazer o seguinte. Eu não posso adiar a volta para São Paulo, mas você pode! Vou pedir a Vânia que troque sua passagem! E aí você checa para nós esta história!

Ana deu um forte abraço naquela senhora que, também não ao acaso, tinha entrado em sua vida. Era exatamente isso que a tinha fascinado no bilhete. Era uma mulher à procura de suas raízes.

13

Recife
Manhã, 15 de março de 2000

O despertador tocou quando os primeiros raios de sol invadiram o quarto de Ioná. Enfiou a cabeça debaixo do travesseiro. Não queria levantar. Sentiu vontade de ligar para o hospital e inventar uma desculpa. Mas essa não era ela. Levantou. Uma rápida olhada no espelho foi suficiente para ver o estrago de uma noite dormida com o cabelo molhado. Nada que uma chuveirada fria não resolvesse, além de afastar o sono. Vinte minutos depois, estava pronta para o novo dia. Pegou uma maçã e desceu pelas escadas.

No caminho para o hospital refez rapidamente o dia anterior. Talvez fosse melhor esquecer esse assunto. O que afinal mudaria em sua vida o encontro com a tal professora? Olhando agora com frieza, achou-se ridícula. Tinha que pôr uma pedra em cima desta questão de vez. Acabara de se formar. E precisava passar para uma boa residência. Precisava correr atrás do tempo perdido. Enquanto os colegas já vinham se preparando há meses, ela passara praticamente metade do ano nesta busca do passado. Noites viradas em cima dos livros de história. Fins de semana nos plantões pelo interior. Tenório, Pedra Lavrada, Juazeirinho, Soledade, Córrego do Seridó. Rodando os sítios da região. Conversando com os velhos, descobrindo tradições, catalogando costumes.

Gostava da alegria com que a recebiam, da necessidade real que tinham de sua presença. A recompensa era imediata. Era bom ajudar as pessoas. Mas tudo havia se transformado em uma obsessão que, ela admitia — só para si própria —, a estava transformando em uma pessoa amarga.

Desde o episódio com o rabino em Recife, há um ano, Ioná estava diferente. Pensou em Daniel. Se ele soubesse no que tinha se transformado a vida dela, talvez mandasse interná-la, ou iria sofrer por amá-la ainda mais por isso.

No hospital foi direto para o centro cirúrgico. Dois procedimentos de rotina. Pólipos no útero. Se não houvesse imprevisto, as pacientes iriam para casa em poucas horas. Às 9 horas já estava na ronda do terceiro andar. O rapaz do ferimento a bala passava bem, mas permanecia no CTI. Acalmou o pai. Seguiu para os quartos. Foi quando ouviu seu nome ser chamado ao posto de atendimento do andar.

— Bom dia, meninas — disse Ioná metendo o rosto pelo guichê. — Já tão cedo com saudades?

— Bom dia, doutora. É sua mãe. Já ligou duas vezes. Disse que está tentando o celular desde ontem. Está preocupada, pediu para ligar com urgência. É sobre uma tia de Córrego do Seridó.

— Obrigada, vou ligar para ela — disse enquanto corria para a sala dos médicos. Na pressa, tinha esquecido de checar o celular. Pegou o aparelho. Quatro chamadas não atendidas. Discou o número da casa da mãe.

A conversa foi rápida. Tia Ioná estava à beira da morte. O médico ligara dizendo que a transferência para Campina Grande era impossível pela falta de ambulância. Tinha requisitado uma. A espera era para mais de dois dias. Preferiu cancelar. Não oficialmente, confessou que tia Ioná — que ele conhecia desde pequeno — o havia feito prometer que não a deixaria morrer em um leito de hospital. E que ela havia mencionado o nome da sobrinha-neta médica.

A mãe estava apreensiva pois não tinha como ir para o interior. Estava com dois netos em casa. O filho e a nora só voltariam dentro de cinco dias.

— Não se preocupe. Eu vou hoje mesmo para lá — acalmou a mãe e se despediu com a promessa de mandar notícias o mais breve possível.

Ioná se acostumara à morte. Fazia parte de sua profissão. Mas era a primeira vez que sentia tão de perto a perda. Queria chegar a tempo de se despedir. Tia Ioná era irmã da avó que ela não conhecera. Era viúva e morara a vida toda na pequena cidade onde também viveram os pais, avós e bisavós. A aproximação era recente, mas como tinha sido boa para a médica. A menina durona, que não chorava, que não era dada a abraços e beijos, costumava colocar a cabeça no colo da tia-avó para ouvir as histórias do tempo dos antigos, como ela se referia aos antepassados. E elas também tinham o mesmo nome. Tradição de família. A primeira filha de cada geração. Era assim há mais de trezentos anos. Desde a primeira Ioná, a matriarca, como certo dia lhe contou a tia. Lembrava-se daquele dia como se fosse hoje. Estava há pouco menos de uma semana no pequeno vilarejo. Viera cuidar do posto médico a pedido do prefeito, primo de terceiro ou quarto grau, parente como todos da cidade. Precisava de um médico para atender os moradores e rodar os sítios dos arredores. Ela já estava no fim do curso e no meio de mais uma greve. O salário era bom — até para os já formados — e, o principal, ficaria longe de Daniel. Moraria ao lado do posto. Logo abaixo, na esquina, estava a casa de tia Ioná.

Pediu a um colega que terminasse as rondas e falou com o supervisor. Precisaria de alguns dias. Seria uma viagem puxada. O quanto antes saísse, melhor. E ainda tinha que arranjar um carro emprestado.

Desta vez escutou o aparelho tocar. Pensou que fosse a mãe novamente.

— Não se preocupe. Já falei com meu chefe. Vou dar um pulo rápido em casa e pegar a estrada... mas devo ir direto até Campina Grande, sem parar em João Pessoa.

Do outro lado, uma voz estranha interrompeu o rompante.

— Alô, desculpe... é o telefone da doutora Ioná?

— Sim, é ela...

— Estou ligando a pedido da professora Ethel Mendelstein.

— Professora Ethel? — Ioná não podia acreditar. — A senhora leu o meu bilhete?

— Desculpe, aqui quem fala é Ana, eu trabalho com a professora e ela me pediu que ligasse.

A decepção tomou o rosto de Ioná e escorregou pela voz em um sim quase grunhido.

— Na verdade nós já nos conhecemos, eu sou aquela a quem você pediu que entregasse o bilhete... como você vê, cumpri a promessa. Só que a professora estava com a volta marcada para São Paulo e pediu que eu fizesse o contato — Ana continuou a falar, sentindo o desânimo do outro lado da linha.

Ioná não conseguia esconder o desapontamento e a tristeza. Sentia a morte que se aproximava — se já não tivesse chegado — para levar a tia querida. De outra forma, bem mais racional, também sentia a partida da professora. Com ela ia embora a chance de encontrar — ou pelo menos tentar — as peças que faltavam naquele quebra-cabeça que a tia criara, sem querer, ao revelar parte da história da família. Estas duas mulheres, que nunca chegariam a se conhecer, que viveram em mundos tão distantes, haviam entrado na vida da médica e mudado o seu rumo. A tia abriu uma porta que Ioná jamais imaginou que existisse. A professora Ethel mostrou, através de seus livros, que o mundo que saíra por aquela porta existiu.

— Ioná? Você está me ouvindo? Eu sei que você deve estar decepcionada. Mas a professora não tinha como adiar a volta. Eu li o bilhete, a pedido dela. E por isso estou te ligando, para conversarmos.

— Ana, não é? Desculpe mais uma vez e realmente te agradeço a ajuda. É que eu acabei de receber uma notícia triste. Bom, já que você leu o bilhete... é a minha tia-avó, ela está à beira da morte. Eu estava justamente indo vê-la quando você ligou....

— Nossa, não sei o que dizer.... se eu puder ajudá-la de alguma forma... você está precisando de alguma coisa?

A resposta saiu quase que instintivamente, com certa ironia.

— Na verdade estou. De um carro.

Ana olhou para as chaves na mão.

— Pois eu acabei de alugar um! Está na porta do hotel.

— Eu vou ficar craque em lhe pedir desculpas. Eu falei por falar... Eu preciso de um carro que me leve a quatrocentos quilômetros daqui. Ao interior da Paraíba, para o meio do Sertão.

— Se você não se importar em dividir a direção... Não estou muito habituada a dirigir por estas bandas... — Ana rebateu rapidamente.

Ioná não podia acreditar naquilo. E pensou no que a tia diria neste momento: "Quem quer que você seja, que Deus te dê em dobro."

Aceitou e combinou de encontrar Ana na porta do hotel, em uma hora.

14

Ana respirou fundo enquanto encarava o mar a sua frente. Aquilo era uma loucura, mas dane-se, pensou, estava precisando de um pouco de aventura na vida. Sempre quisera se embrenhar pelo Sertão, conhecer de perto aquele mundo que rondava as palestras, bancas acadêmicas, salas de aula.

Havia conhecido, recentemente, um antropólogo francês que tinha se embrenhado pelo interior de Pernambuco, Paraíba e Rio Grande do Norte. E se impressionado com o que tinha visto. Famílias que mantinham costumes claramente judaicos e que eram tidos como católicos. Viviam quase que em guetos familiares, casavam entre si, primos com primas, tios com sobrinhas. Agrupavam-se em sítios tendo no centro a casa da matriarca. Pessoas com pouco estudo mas com uma riqueza cultural impressionante. Que preservavam costumes milenares, sem saber por quê. Um sem-fim de superstições que iam de acender velas com mel, rezar para a lua cheia, varrer a casa de fora para dentro, sem jamais jogar o lixo pela porta da frente.

— "Diz que leva a fortuna embora", falava o povo da terra que dormia em rede, em casas com chão de cimento queimado, sem forro ou água encanada.

— Que fortuna é essa que poderia fugir pela porta? — questionava o antropólogo para responder em seguida, triunfante. — Fortuna, aí, é sinônimo de sorte, como no espanhol! Uma forma de manter o respeito à Mezuzá, peça que existe na porta de todo lar judaico. Dentro dela, um pequeno rolo de pergaminho contém parte da oração sagrada do Shemá Israel, que diz que Deus é um — a base do judaísmo. Os cristãos-novos que continuavam a judaizar não podiam ter a Mezuzá na porta, sob risco de serem levados pelos inquisidores... mas a mantiveram na memória. E passaram adiante a reverência como um costume dissociado da religião!

Era isso que Ana queria ver de perto. Conversar com estas pessoas. Na carta de Ioná havia essa promessa. Mesmo que a mais importante das peças desta história estivesse à beira da morte. Ana se sentia um pouco culpada por estar se aproveitando de um momento difícil — ela sabia como — na vida de outra pessoa para suprir um desejo egoísta. Era uma faca de dois gumes. Poderia chegar lá, depois de horas de viagem, participar de um enterro e voltar daqui a dois dias. E o pior, com dor nas costas, do carro, da noite mal-dormida — será que existiria pelo menos uma pensão nesta cidade? — e do banho gelado. Por outro lado, poderia passar para o lado de lá. Pela primeira vez, estar realmente em campo, não mais ouvir falar, mas vivenciar. O que ela mais questionara, nestes últimos dois anos, era o fato de tantos estudantes de mestrado e doutorado passarem dias e noites em cima de livros, documentos, processos do Santo Ofício e discussões infindáveis, para mostrar o que todos já sabiam comprovadamente. Boa parte dos cristãos-novos no Brasil dos séculos XVI e XVII judaizava. Foram batizados mas não abraçaram a nova fé.

A professora costumava contar uma piada que definia bem os conversos. Certa vez, em uma Sexta-feira Santa, em Portugal, um padre flagrou um cristão-novo comendo carne. Ameaçou denunciá-lo por heresia. O cristão não se abalou e respondeu: "Mas, padre, eu estou comendo peixe... ontem, peguei esta carne, joguei na pia batismal e disse: a partir de agora sereis peixe..." Uma alusão aos batismos em massa dos judeus em Portugal. Centenas de almas foram batizadas à força, em pé. "A partir de agora sereis cristão e ganharás novo nome." Mas e lá no fundo? A carne por acaso se transformava em peixe?

Existiam provas históricas da presença dos conversos nos dois primeiros séculos de existência do Brasil. Mas e depois? O que aconteceu com estas pessoas? Se assimilaram? Se perderam pelo interior e enterraram sua tradição? Não era isso que mostravam relatos como o de Ioná e de outros tantos que procuravam a professora Ethel. O que Ana sentia falta era de acadêmicos que abandonassem a segurança das bibliotecas e fossem a campo. Os séculos seguintes eram uma lacuna a ser preenchida. E os jovens que se deparavam com questionamentos de sua religiosidade eram cada vez mais jogados à margem. Viravam párias no mundo judaico, e párias dentro das próprias famílias. Não eram uma coisa nem outra.

Ana entendia a revolta da professora Ethel quando ela bufava ao ver que os descendentes dos marranos — como também eram chamados os conversos na Espanha e em Portugal — tinham como principal objetivo o retorno ao judaísmo oficial. Mas por outro lado respeitava a aflição destas pessoas divididas entre dois mundos. Afinal, o judaísmo era uma religião. E nada mais coerente do que o desejo de querer ser tratado como igual em uma sinagoga, ter casamentos e circuncisões realizados por rabinos, frequentar escolas judaicas. Mas para isto lhes era imposto o processo de conversão, que significava renegar todo o passado, e ser tratado como qualquer não judeu. Isto eles não aceitavam. Era o principal ponto da desavença entre a comunidade judaica ortodoxa e o grupo de anussim, dos retornados, que a cada dia crescia mais no Nordeste.

— Ana, os marranos deveriam mandar os ortodoxos plantar batatas! — parecia ouvir a voz da professora. — Eles têm uma história tão bela de resistência e de luta e ficam presos à burocracia da religião. O que importa isso tudo? Não foi para viver este judaísmo fanático dos religiosos de preto que seus antepassados foram para a fogueira!

Aliança

Fui o primeiro judeu em minha família depois de quatro gerações nascidas conversas. Orgulho para meu pai e minha mãe, que só vieram a saber o que era viver a religião abertamente com a minha chegada. O domínio holandês trouxe esperança aos cristãos-novos do Novo Mundo, embora eles soubessem que a sombra da Inquisição jamais os abandonaria. Não que as perseguições tivessem acabado, muito pelo contrário. Nossa sorte veio com o conde Maurício de Nassau e com a forte presença de nossos irmãos na Companhia das Índias Ocidentais. Se dependesse da comunidade reformada holandesa estaríamos no mesmo lugar em que nos queriam os de mesma pátria portuguesa. No ano seguinte ao do meu nascimento os ministros protestantes reclamavam a liberdade dos judeus, que ousavam se reunir publicamente em Pernambuco e na Paraíba, para onde mudou-se meu avô paterno, Isaac. E exigiam do governo da capitania medidas enérgicas contra estes escândalos. Acusavam também os judeus de dominarem o comércio por sua falta de ética nos negócios. Consideravam impossível um cristão de boa índole e consciência concorrer com judeus que engavam os clientes, roubavam nos pesos e medidas, emprestavam a juros altos. Mas nada disso era suficiente para intimidar meu pai — que trabalhava de sol a sol, exceto aos sábados —, que acreditava que Nassau era mensageiro de Adonai, nosso D'us, e que a terra prometida era aqui. Por isso a alegria dele em meu oitavo dia. Minha circuncisão selava o pacto com o povo de Abraão. Eu não fui batizado para mascarar minhas origens, portanto não seria alvo dos inquisidores se um dia os batavos se fossem. O Santo Ofício não perseguia judeus, mas os conversos que um dia o foram e mesmo depois de aceitarem o batismo mantinham respeito à antiga fé. Era o caso de meu pai. E ao confirmar a Aliança, anos mais tarde, com sua própria circuncisão, em cerimônia na sinagoga da rua dos Judeus, mal sabia ele que selava também outro pacto. Com a morte. Mas sobre isso contarei mais tarde. Nesta época vivíamos da felicidade de experimentar a liberdade, mesmo que parca. Eu me dividia entre o comércio — onde ajudava meu pai no balcão enquanto ele corria as freguesias no serviço de mascate — e a sinagoga — onde aprendia o hebraico e estudava o Livro Sagrado. Eu queria ser rabino e me preparava com afinco para quando fosse chamado à Torá nos meus 13 anos. Motivo de orgulho para meu avô paterno, que pouco via desde a mudança para as inóspitas terras da Paraíba. Lá, não era mais Antônio e sim o velho Zaqueu, protetor e protegido dos índios. Vovô Isaac — como eu o chamava — tinha completa aversão aos portugueses e holandeses. E esbravejava para que mostrassem onde ele havia trapaceado para alcançar sua pequena fortuna, que trouxe junto dores nas costas para o resto da vida. "Enquanto os carolas ainda roncavam depois de uma noite de muito vinho e luxúria", — dizia, "o velho Isaac estava no balcão, a arrumar as mercadorias, e antes do amanhecer já abria as portas"! Vendia pelo menor preço, porque ficava mais horas a vender, portanto vendia mais. E depois diziam que ele roubava os clientes. Quando percebeu que o filho Diogo podia tocar o negócio sozinho, seguiu para o interior. Queria ficar longe da sede do governo, dos padres e das beatas. Ele era um Serid, costumava dizer. Um Serid'O, o sobrevivente Dele. E, por mais que os olhos marejassem ao me ouvir recitar os salmos em hebraico, temia pelo futuro. Não cansava de lembrar a meu pai a história de meu bisavô, Manoel, que fora denunciado ao Santo Ofício em 1594. Eu escutava atrás da porta. "O velho Manoel, homem de bem, que não fazia mal a uma mosca, foi intimado pelo visitador, aquela ave de rapina", sussurrava, "depois de uma denúncia de que tinha dito que as bulas de indulgência serviam apenas para juntar dinheiro e por isso os papas as passavam! Foi obrigado, às vésperas de seus 50 anos, a abjurar publicamente da religião. A desculpar-se por sua suposta heresia, que ele lembrava apenas como um discreto comentário em uma roda de três conhecidos... um deles traidor". *E completava, com veemência, que o velho Manoel tivera muita sorte, pois esta era a mais leve das penas. A abjuração se encerrava com um recado dos inquisidores, que meu avô sabia de cor, tantas vezes seu pai o repetira:*

"Meu filho, acabas de expiar, pela abjuração, a suspeita que pesava legitimamente sobre ti. Cuidado para não repeti-la no futuro: serias então relapso, e mesmo que te entregassem ao braço secular, por seres apenas levemente suspeito, iriam aplicar-te uma condenação extremamente grave. Toma cuidado também porque, de hoje em diante, por qualquer coisa, serás considerado gravemente suspeito, sendo forçado a abjurar, por causa disso. Se reincidires, dando ainda pretexto a suspeitas, serás visto como relapso e entregue ao braço secular para seres executado."*

Foi o suficiente para que vovô Isaac não confiasse nem nos próprios sonhos, a ponto de passar as noites em claro quando,

---

*A abjuração de Levi faz parte do Manual do Inquisidor, de Nicolau Eymerich (1376), revisto por Francisco de La Peña, em 1978. Essa abjuração era feita por pessoas sobre as quais, segundo o Tribunal da Inquisição, pesasse leve indício de heresia.

nas viagens pelo interior, tinha que dormir em acampamentos com outros mercadores.

Já minha mãe jamais falava do passado. Foi meu pai, pouco antes dos meus 13 anos, quem me contou a triste sina de meus avós, que volto a relatar. Meu avô, natural de Évora, fora condenado por judaísmo. Acusação que englobava um conjunto de denúncias desde guardar os sábados, jejuar no Dia Grande, não comer pão fermentado na época da Páscoa e dizer publicamente que descria da Virgem Maria e dos santos. Foi sentenciado à fogueira, onde queimou sem abjurar. Todos os bens foram confiscados para pagar as custas do processo. Minha avó apodreceu nas prisões do Santo Ofício, onde usou até o último dia o traje do herege. Não antes de sofrer a humilhação de comparecer ao auto de fé, descalça, com uma vela acesa na mão, para fazer a abjuração de Levi e ser açoitada publicamente. Nem isso lhe permitiu ver os filhos novamente. Para minha mãe eu era a prova de que seus pais não haviam morrido em vão.

15

Recife
Manhã, 15 de março de 2000

Ana jogou as poucas roupas recém-colocadas no armário na mala de mão. Em menos de cinco minutos estava pronta. Checou o relógio, ainda não eram dez da manhã. Tinha uns vinte minutos até a chegada de Ioná. A esta hora ainda encontraria Pedro Vilela em casa. Desde que deixara o quarto da professora, na noite anterior, tivera vontade de ligar para o genealogista.

Pedro era um velho amigo da professora, embora fosse jovem de idade, na faixa dos quarenta. Morava sozinho em uma chácara ao norte de São Paulo, em uma pequena cidade na Serra da Cantareira. Há poucos meses cedera ao computador porque estava cada vez mais difícil receber cartas dos amigos. Mas os textos para jornais ainda seguiam pelo correio. Fiel a caneta e papel, escrevia à mão os artigos com os quais colaborava para veículos de todo o país. A coluna "Você sabe com quem está falando?" — sobre as origens dos sobrenomes brasileiros — era um dos grandes sucessos de uma das revistas de maior circulação da capital paulista. Não tinha secretária eletrônica e a televisão só era ligada para assistir a partidas de futebol. Acompanhava as notícias pelo rádio. Um dos poucos luxos da modernidade a que se permitia era o aparelho de ar-condicionado silencioso que ajudava a espantar o verão, cada vez mais insuportável, mesmo no meio do mato, e um fax que ganhara de seu editor. O professor, que adorava Eça de Queiroz e jogava bola às terças-feiras, raramente aceitava convites para participar de debates, programas de TV ou eventos sociais. Exceção que abria para a amiga Ethel.

Quando Pedro e Ana se sentaram frente a frente em um jantar oferecido pela professora para uma jornalista espanhola, a empatia foi imediata. Talvez porque não estivessem pensando em seduzir um ao outro. Talvez porque estivessem acompanhados de paixões recentes que um dia foram interessantes e depois de um mês tornaram-se chatíssimas. Ou talvez pelo fato de ele ter jogado no time de juniores da Ponte Preta, de Campinas, pelo qual Ana torcia. O fato é que conversaram a noite toda sobre futebol, cachorros e corridas. De forma franca, sem segundos olhares, sem movimentos estudados. Eram levemente compromissados, razoavelmente bonitos, independentes e podiam fazer sua história juntos única e fora do lugar-comum: amigos, em vez de breves namorados ou eventuais amantes. Não se arrependiam da escolha.

Discou o número. Deixou tocar seis ou sete vezes. Discou novamente. Na segunda vez, a voz atendeu afobada.

— Pedro? É Ana, estou ligando de Recife!

— Minha querida amiga... que bom ouvir sua voz! Estava dando comida à minha pequena fera...

Lila era uma rottweiler de quase um ano que se sentia a esposa de Pedro. Portanto, a dona da casa.

— Então — continuou ele —, qual o nome que perturba os seus pensamentos?

Ana riu. Pedro a conhecia como poucos.

— Como é que você sabe?

— Minha querida, pela hora e o local de onde você está ligando, certamente não é saudade da minha voz ou de notícias da serra paulistana... só posso imaginar segundas intenções com a minha prodigiosa memória!

— O que seria de mim sem a sua extrema mediunidade? — rebateu com humor. — Preciso da sua ajuda! Em menos de dez minutos vou me aventurar pelos sertões! Finalmente em campo! É uma longa história que não dá para contar agora. Queria saber se você sabe algo sobre a família Mendes de Brito.

— Mendes de Brito? Tenho que dar uma pesquisada... você tem mais referências?

— Sim. São do Sertão paraibano dá pequena cidade de Córrego do Seridó e arredores. Família endogâmica, casamentos de tios com sobrinhas, primos com primas. A geração mais nova já vive em João Pessoa e Recife.

— Bom, vou dar uma olhada e te mando o que descobrir. Quando é que você volta para me contar esta história?

Ana pensou por alguns segundos, antes de responder.

— Boa pergunta... fico te devendo a resposta! Beijos! E torce por mim!

Desligou e pegou a mala para descer. Estava feliz. Há muito tempo não se sentia assim. Livre, entregue ao destino. Não tinha a menor ideia do que a esperava pela frente. Uma viagem para uma região que ela só conhecia pela tevê, com uma pessoa que ela só vira uma vez e para um evento completamente inusitado, um enterro. Diferentemente de todos os outros momentos de sua vida, ela agora não estava no controle.

16

Rumo ao Sertão
Fim da manhã, 15 de março de 2000

Ioná desceu do táxi na esquina do hotel e jogou a mochila nas costas. Precisava de alguns segundos para pensar sobre aquilo. Aceitara a oferta do carro num rompante. Entre arrumar a mala e remarcar os plantões não teve tempo para refletir. Compartilhar com uma estranha um momento tão pessoal. Enfrentar horas de estradas difíceis com uma pessoa de quem até uma hora atrás ela nem sabia o nome.

Deu um suspiro e seguiu pela calçada. Logo avistou Ana encostada em um carro de duas portas. "Pelo menos ela é pontual", pensou, enquanto a jornalista caminhava em sua direção.

— Primeiro de tudo, Ioná, sinto muito por sua tia. E quero dizer que ofereci o carro de coração, mesmo. Não quero que você pense que eu sou uma interesseira curiosa me aproveitando de um momento íntimo. Se não quiser minha companhia eu entendo... e o empréstimo continua — falou Ana enquanto entregava a chave.

A franqueza desarmou Ioná.

— Eu é que tenho que agradecer. Você é boa de mapa? — disse enquanto pegava a chave. — Porque temos um longo caminho pela frente... e bem tortuoso! Melhor sairmos agora, antes que chova.

As duas entraram no carro e seguiram pela avenida Boa Viagem, margeando a praia. No guia de estradas Ioná havia marcado o percurso. Seguiriam pela BR-101 até João Pessoa, depois cairiam na BR-230 até Campina Grande, porta de entrada no Sertão. Ioná decidiu pelo trajeto mais longo a cortar caminho pelo interior de Pernambuco. Eram tantas histórias de assaltos, balas perdidas e mortes que ela preferia não arriscar. Faria a mesma rota do ônibus.

Enquanto Ioná olhava atentamente as placas na saída de Recife, Ana estudava o caminho pontilhado em vermelho. Campina Grande, São José da Mata, Soledade, São Vicente do Seridó, Jardim do Seridó, Juazeirinho, Pedra Lavrada, Tenório, Salgadinho. Pequenas vilas que se multiplicavam à medida que ela percorria com os dedos os pontos marcados no mapa.

— É outro país... Você vai notar a diferença logo que a gente atravessar a Serra da Borborema, na Paraíba, e entrar no semiárido. Nessa época de chuva é muito verde... e até faz frio.

Ioná falava sem virar o rosto. Ainda faltava muita estrada até chegarem lá. Ainda em Pernambuco, passariam por Igaraçu — um dos primeiros povoamentos do país e onde ficava a mais antiga Igreja do Brasil, a de São Cosme e Damião — e pela Ilha de Itamaracá — do Forte Orange, construído pelos holandeses, e que ficou conhecida como a capital da ciranda.

— Os estudiosos de cultura popular costumam dizer que a ciranda tem origem espanhola ou árabe — Ioná virou-se para Ana —, mas à boca pequena muita gente acha que vem das danças judaicas...

— Que nem o baião! — completou Ana. — Eu conheci no Recife um músico que dizia que o ritmo vinha das canções ladinas dos judeus da Península Ibérica! Justo um ritmo tão brasileiro! Quanto mais a gente mergulha nesse assunto, mais raízes vai descobrindo!

E por aí tocaram a conversa. Cada uma contando uma curiosidade, uma situação inusitada, uma lenda do povo. Passado pouco mais de uma hora, parecia que se conheciam há anos e esqueceram por alguns instantes o motivo daquela viagem.

— Ana, você tinha que passar uns tempos por aqui! Tem muito para ser explorado... como surgiu seu interesse por esse assunto?

— Primeiro foi a professora Ethel... A forma apaixonada como me apresentou essas raízes do Brasil me fisgou imediatamente. Aí comecei a ler uma coisa aqui, ver uma outra ali e no final minha casa estava tomada de livros! As pessoas me ligavam contando coisas relacionadas, comecei a participar de congressos... e cheguei até aqui!

— Então você não é judia?

— Dentro da definição estrita, não. Mas é uma questão que me fascina! E, além do mais, só porque não sou judia não posso abraçar nenhuma causa relacionada? O judaísmo é bem mais do que uma religião... é isso tudo que estamos conversando... tradições, costumes... fazer o bem e receber o bem... nesse sentido, me considero judia, sim!

— Eu concordo com você. Só que é muito chato receber portas na cara. É muito duro ser rejeitado e discriminado por pessoas que monopolizam a religião como se fosse algo que pertencesse aos homens e não a Deus! — A resposta veio com forte carga de ressentimento. — Como também sei que o judaísmo é prática, ele é vivido no dia a dia, em todo ato de bondade que a gente faz. Foi o que eu aprendi com minha mãe! Fui criada dentro de preceitos — e aí incluo não misturar carne e leite, não comer carne de porco, entre muitos outros — que agora tenho consciência de onde vêm! E quero viver isso plenamente. Poder rezar em uma sinagoga, casar e circuncidar meus filhos, criá-los dentro da religião dos meus antepassados. Coisas que me são vetadas porque não sou reconhecida como judia!

Ana interrompeu:

— Tem uma coisa que me deixa curiosa. Agora você tem essa consciência e um conhecimento do judaísmo bem maior do que muitos judeus por aí. Como é que isso aconteceu? O que te fez despertar e fazer essa ligação do que você praticava em casa com a tradição judaica?

— Bom, a descoberta foi meio por acaso... quando fui trabalhar no interior e passei a ter contato com minha tia-avó Ioná. Um belo domingo perguntei por que ela não ia à igreja, como as outras senhoras. Ela inventou uma porção de desculpas. Tinha problemas no joelho, o padre era muito moderno, não se dava bem com a vizinha que ajudava na comunhão... até eu dizer que achava engraçado, porque eram as mesmas desculpas da minha mãe, que também evitava as missas. Então ela me olhou fundo e disse: "eu sigo a minha Lei, a Lei da nossa família." Esse foi um dos primeiros sinais.

— Mas você já tinha tido algum contato com o judaísmo? Por que a associação?

Ioná deu seta para a direita. Se aproximavam da cidade de Goiana. Haviam acabado de passar por mais um agrupamento de sem-terra. As barracas improvisadas com coberturas de plástico preto e as bandeiras vermelhas incorporavam-se ao cenário dos canaviais que se estendiam pelos dois lados da estrada.

— Eu preciso esticar as pernas e tomar um café. Tudo bem?
— Sem problemas. Se quiser eu pego o carro.

Estacionaram na primeira venda. Ioná retomou a conversa.

— Respondendo a sua pergunta... sim, eu já tinha tido contato com judeus e com rabinos. E a experiência foi péssima. Eu procurei os rabinos para a conversão. Antes de ter qualquer contato com as minhas origens. Minha religião era católica, mas aquele catolicismo cheio de superstições da minha mãe.

Os olhos de Ana cresceram. Havia algo que Ioná relutava em contar.

— Mas por que você quis se converter? O que te levou a isso?

— É uma longa história... e que de certa forma terminou com um final que eu não chamaria de feliz, mas que me trouxe até aqui!

— Mas quanto suspense! Se você não quer falar sobre isso...

Pagaram o café e retomaram a estrada.

— Durante muito tempo eu não quis. Agora já passou. Eu fui para Recife estudar medicina. Logo que entrei na faculdade conheci um estudante do penúltimo ano. Ele era divertido, gentil e tinha as mais belas mãos que eu já vi, mãos de cirurgião! Eu era calada, não conhecia ninguém na cidade e dividia quarto em uma república. Um certo dia ele me convidou para sair. E nós nunca mais nos desgrudamos. O nome dele é Daniel e ele é judeu.

— E vocês não estão mais juntos?

— Tomamos rumos diferentes. O Daniel está na Alemanha, fazendo uma especialização.

Não havia por que contar que tinham se encontrado há menos de dez dias, quando ele veio visitar a mãe, no Recife. Ninguém sabia. Era algo que guardava só para ela. Quase um ano de separação e tudo viera à tona numa simples troca de olhar. Mas não havia mentido. Eles não estavam mais juntos.

— E a vontade de se converter tinha a ver com ele. — A voz de Ana puxou Ioná lá do fundo da alma, onde ela costumava se refugiar com seus próprios sentimentos.

— Nós ficamos juntos por quase cinco anos. Me dava bem com os pais, a irmã, os primos e tios. A casa dele virou minha segunda casa. Participava das festas, do *Shabat*. Fui tendo contato com o judaísmo e criando uma grande identificação. De certa forma, tinha muita coisa parecida com os hábitos da minha casa, só que eu não via isso conscientemente. Não misturávamos leite e carne, minha mãe fazia uma grande faxina às sextas-feiras para reunir a família, rezava para a lua cheia, acendia velas com mel. Mas aquilo para mim eram crendices do Sertão. A cada dia ficávamos mais próximos. Até que o pai do Daniel teve um infarto fulminante e morreu. E aí as coisas começaram a mudar. Daniel era o único filho, o único homem. O avô — já morto — era sobrevivente dos campos de concentração. Ele passou a falar que a continuação do nome da família dependia dele, que o sofrimento e a resistência do avô não podiam ser em vão. Ele precisava casar com uma judia.

— E aí você procurou o rabinato.

— Eu não tinha dúvida, Ana. Eu amava o Daniel mais do que tudo. E sabia que ele também me amava. E eu me identificava, lá no fundo, com a religião. Eu estava disposta a tudo. Até que veio o balde de água fria.

— Mas você procurou os ortodoxos? Os rabinos conservadores e os liberais fariam a conversão... é o que a gente mais vê por aí em casamentos mistos.

— Eu sei. Mas o Daniel — ele nunca me falou, mas eu sabia — queria que os nossos filhos pudessem ser considerados judeus em qualquer lugar, sem preconceito. Para isso minha conversão tinha que ter o aval de um tribunal rabínico! Tinha que ser ortodoxa.

— Até então você não tinha a menor ideia do seu passado cristão-novo? — rebateu Ana.

— Eu tinha como todo mundo por aqui tem... sem saber a real dimensão de um cristão-novo que nunca aceitou a conversão. Eu só vim a saber disso quando tive contato com minha tia-avó.

Ioná suspirou por alguns segundos. Aquilo tudo a fazia lembrar da tia que ela só viera realmente conhecer no fim da vida. Quantas memórias morreriam com ela. Como gostaria de ter levado Daniel lá. Agora ele estava longe, e nem tinha ideia de como a vida dela tinha virado de cabeça para baixo.

— Essa história toda desgastou muito o nosso namoro. Um certo dia recebi o telefonema de um primo distante, que é prefeito de Córrego do Seridó — lá todo mundo é parente — me oferecendo uns plantões. Resolvi aceitar, ficaria longe de Daniel e mergulharia no trabalho. A aproximação com minha tia, que era a irmã mais velha da minha avó, foi uma consequência óbvia. Tínhamos o mesmo nome, não havia televisão nem internet na cidadezinha. À noite me reunia com os mais velhos para ouvir as histórias dos antigos, como eles se referem aos antepassados.

— Mas o que foi que sua tia te contou?

— Foram várias pequenas coisas... mas a que mais me impressionou e fez a ficha cair foi o jejum.

— Como assim? — Ana perguntou intrigada.

— Uma tarde tia Ioná passou mal e fui vê-la. Ela estava sem comer desde a noite anterior, delatou uma vizinha. Examinei-a. Não havia nada. Por que a falta de apetite repentina? Tia Ioná era um excelente garfo! Então, quando a vizinha foi embora, ela aproximou o rosto do meu e sussurrou: "Não conte a ninguém... Nós fazemos como nossa matriarca, a primeira Ioná. Nesta época, não comemos de estrela a estrela... daqui a pouco, quando a primeira luz da noite surgir no céu, meu apetite volta." Fiquei toda arrepiada... estávamos em setembro!

— O Yom Kippur! — exclamou Ana. — Meu Deus, era o jejum da expiação, do Dia do Perdão!

— Foi exatamente o que me veio à cabeça! Eu tinha jejuado com Daniel duas vezes. Com jeito, tentei saber mais, mas a única coisa que ela dizia era que o "Jejum do Dia Grande" — como ela chamava — servia para limpar as impurezas da alma e que era um costume passado dentro da família. E só tinha valor se ninguém soubesse que era jejum. Por isso o dia variava. Ela só havia me contado porque eu era a Ioná que carregaria a tradição quando ela se fosse!

— E o Daniel soube disso? — Ana retrucou, curiosa.

— Não. Já estávamos separados... e eu comecei a perceber que aquela era uma busca minha. Não era por causa dele, era por minha causa.

— Mas sua tia tinha consciência do que isso significava? Ela sabia que era judaico? O que mais ela te contou? — Ana bombardeava Ioná sem trégua. — Ela passou nomes, documentos? Porque esse é justamente o hiato que os estudiosos enfrentam! Não existe registro histórico, nada sobre os conversos depois do século XVIII. Com o fim da Inquisição no começo do século XIX acabaram as prisões. Só o que existe é a tradição oral!

— Durante as seis semanas que fiquei em Córrego do Seridó tentei puxar o assunto novamente. E quando usei a palavra judeu, nunca a vi tão brava. Me mandou calar a boca e ir embora! Que eu nunca falasse essa palavra em voz alta. Mas quando eu me aprontava para voltar a Recife ela veio ao posto médico e disse: "Ioná, na hora certa você saberá o que lhe é de direito saber. E passará a seus filhos."

— E agora ela teve o derrame... — constatou Ana.

— Eu deveria ter voltado lá... mas a vida ficou corrida neste final da faculdade — Ioná falou como se tentasse se desculpar.

— E você acha que existe algo concreto? — Ana não se conformava que não houvesse algo mais além de uma suposição. — Eu não estou duvidando da sua história, do seu passado familiar, até porque acredito piamente nestas raízes judaicas, que muitas vezes estão na nossa frente!

Falou enquanto apontava para uma das diversas cruzes fincadas à beira da estrada, que se destacavam na paisagem contornada pelas montanhas. Já haviam entrado no Sertão. A exemplo dos túmulos judaicos, pedras eram amontoadas em torno daqueles pequenos memoriais para lembrar dos que ali morreram, pelo menos era a explicação do povo da terra. A mesma prática comum entre os judeus.

— O que eu sei, Ana, é que minha tia queria me ver antes de morrer.

Ioná acelerou o carro. Faltava menos de uma hora para começar a anoitecer e elas ainda tinham um bom pedaço de estrada de terra pela frente. Ficaram sem falar por alguns minutos até Ioná quebrar o silêncio.

— Estamos perto de Portão do Seridó. Eu tenho uma prima, por parte de pai, que mora aqui. O melhor a fazer é dormirmos na casa dela e seguirmos amanhã bem cedo. Não encontraremos outro lugar para ficar e até Córrego são 20 quilômetros na terra.

— Mas não tem um hotel, uma pensão? Não vamos incomodar sua prima?

Ioná fitou Ana e riu.

— Ela que pode incomodar um pouco a mim, porque é hipocondríaca! Você realmente não tem a menor ideia de onde está! Chegamos ao coração do Sertão paraibano! Minha mãe tem um ditado que é assim: "no interior não tem hotel porque toda casa é de parente que gosta de receber sua gente!"

Eram quase cinco horas da tarde. Rodaram mais quarenta minutos até chegarem à pequena cidade de chão de paralelepípedos e casas coloridas.

17

Portão do Seridó
Fim de tarde, 15 de março de 2000

A prima fez uma festa ao ver a médica. Ana foi direto para o chuveiro, antes que anoitecesse e os picos de luz cortassem de vez a chance de um banho quente. Estava tão exausta que mal teve tempo de pensar onde dormiria. Mas Ioná tinha razão quanto à hospitalidade. Quando deixou o banheiro, a cama no quarto da única filha já havia sido arrumada para ela. A menina dormiria com os pais e Ioná, na sala. O cheiro de café impregnava a casa e um belo lanche esperava na mesa.

As duas devoraram o queijo de coalho fresco e a macaxeira cozida em meio às lamúrias da prima. Estava com crise hipertensiva por causa da vida atarefada de assessora do prefeito.

— Vocês acham que só na capital é que tem estresse? Não sabem o que é aguentar a imprensa local querendo encontrar rombos no orçamento! Às vezes, só Lexotan para relaxar!

A indireta passou direto por Ioná. A prima não se conformava que ela não tivesse o bloco mágico de folhas azuis.

Ana deixou as duas conversarem e saiu para respirar um pouco. Queria ver a noite estrelada do Sertão. O céu nublado afastou todo o romantismo, mas a fez lembrar de Pedro. O celular marcava fora de área. Problema que enfrentaria por toda a viagem. Será que ele tinha descoberto algo? Queria tanto conversar com ele.

Estava perdida em pensamentos quando Ioná se aproximou.

— Vim dar boa-noite... o pessoal aqui dorme cedo. E amanhã seria bom a gente estar na estrada com o primeiro raio de sol!

— Também estou morta! — Ana respondeu forçando um bocejo. Lembrou da conversa da prima. Quem precisava de um Lexotan era ela. Ioná pareceu ler seus pensamentos.

— Se não estiver cansada demais, dá uma olhada nisso — e lhe passou um caderno com anotações. — É uma espécie de diário das minhas andanças por aqui... talvez responda a algumas das suas perguntas e a minha história não pareça tão absurda.

Deu boa-noite e entrou. Ana ficou por mais alguns segundos e folheou o caderno. Iria passar quase a noite toda em claro.

OS MENDES DE BRITO DE CÓRREGO DO SERIDÓ

Por Ioná Mendes de Brito Cunha Medeiros

Anotações feitas no período em que passei em Córrego do Seridó, terra natal de minha família materna, os Mendes de Brito. As informações foram levantadas a partir dos depoimentos de minha tia-avó Ioná e de moradores da vila e dos sítios vizinhos.

São resultado de conversas e observações dos costumes locais. Córrego do Seridó tem quase dois mil habitantes, pelo censo oficial. Metade na cidade propriamente dita, metade nos arredores. Foi fundada na década de 1930 e emancipada há quase dez anos. Pude constatar que minha família está aqui há mais de três séculos, desde os primórdios da colonização da Paraíba.

Fiz a árvore genealógica presumida com os nomes passados por minha tia-avó. Alguns deles, bem como datas, foram confirmados em arquivos pessoais e nas paróquias da região. Era prática registrar nascimentos, casamentos e mortes nas igrejas. Como não havia um padre morando em Córrego — e até hoje não há, ele vem uma vez por semana —, os batizados aconteciam em casa, em cerimônia comandada pelo membro mais velho e religioso do clã. Os casamentos também. Muitas fazendas tinham capela.

São comuns os casamentos dentro da mesma família, tios e sobrinhas, primos e primas. Esta é uma das facilidades para se levantar a ascendência. É uma característica tão forte na Paraíba que faz do estado o de maior índice de endogamia do Brasil, principalmente no Sertão. Esse tipo de casamento seria uma forma de manter a herança familiar... em espécie — dinheiro e terras — e em tradição. É comum dizer: "Somos puros. Casamos com alguém do nosso sangue." Entre os cristãos-novos judaizantes, era uma maneira de perpetuar o judaísmo mesmo com os batismos. Além da tradição em forma de costumes — mesmo que dissociados da religião —, as mulheres passavam o principal: o ventre judaico.

Abaixo transcrevo parte das conversas com tia Ioná que me fizeram chegar à árvore da família:

Eu — E nosso nome de onde vem?

Tia — Vem de Ioná! Ioná Mendes de Brito.

Eu — Sim... E era filha do coronel Rufino?

Tia — Pois se ele criou...

Eu — E quem era o coronel Rufino?

Tia — Coronel Rufino? Foi um grande fazendeiro. Nasceu em Pernambuco, onde se casou a primeira vez e enviuvou sem filhos. Depois veio para os lados da Paraíba, para Pedra Lavrada e os sítios da nossa Córrego do Seridó. E aí dizem que um dia apareceu com viúva e filha pequena, lá do Portugal. Fez casamento direito e criou a menina que nem fosse dele. Diz que a viúva trouxe para ele fortuna...

Eu — E a primeira Ioná?

Tia — Diz que o nascimento dela foi presente do divino.

Eu — E por que o nome Ioná?

Tia — Coisa da Antiguidade.

Eu — E a mãe de Ioná?

Tia — Diz que veio de Portugal.

Eu — E o nome, tia?

Tia — De quem?

Não insisti com medo de ela mudar de assunto. Provavelmente não sabia. Minha vontade, no fundo, era perguntar se não vinham desta mãe os costumes que a primeira Ioná passara adiante.

Eu — E a filha que o coronel criou?

Tia — O divino levou ela bem jovem, mas trouxe a primeira de nós. E deu saúde ao coronel para criar, já tinha uns 60 anos. Diz que Nossa Senhora do Bom Parto foi portadora da bênção. Deus é assim, dono da tristeza e da felicidade.

Eu — E como é que foi passando a história?

Tia — Pela memória dos antigos. Assim como eu estou te contando. Você podia ser minha neta, se o divino não tivesse tirado minha Ioná tão cedo...

Eu — ... (silêncio)

Tia — Era como uma brincadeira. Minha avó perguntava, quem é você? Eu respondia Ioná. Filha de quem? De Ioná e João Fernandes. E neta de quem? Ioná e Antônio Cordeiro.

E titia foi enumerando os antepassados até chegar à primeira Ioná, filha do coronel e da mãe cujo nome era uma incógnita. Era uma brincadeira de criança que fora repetida tantas vezes que marcou sua memória, como havia marcado a de todas as que vieram antes dela. Agora, cabia a mim continuá-la. Eu era a próxima Ioná. Arrumei no papel os nomes que ela passou até chegar a mim. Outros tios e primos — muitos a cada geração — eram citados de forma vaga, por isso não há como precisar quantos e os nomes. Outro fator primordial para identificar as informações foi a manutenção do sobrenome Mendes de Brito em todas as gerações. Só consegui checar as datas de nascimento e morte até minha tataravó.

ÁRVORE GENEALÓGICA

1) Coronel Rufino Mendes de Brito, casado com (?), pais de Ioná Mendes de Brito e uma filha adotiva (?).

2) Ioná Mendes de Brito, casada com Diogo Maia, pais de Ioná, batizada Mendes de Brito Maia, e Avelino, batizado Mendes de Brito Maia.

3) Ioná Mendes de Brito Maia casada com (?). Morreu jovem, logo após o marido. Deixou filhos que foram criados por seu irmão Avelino, entre eles uma menina, de nome Ioná.

4) Avelino Mendes de Brito Maia, neto preferido do coronel Rufino, de quem herdou a fazenda. Casou-se com Isaura (?). Tiveram filhos e filhas e criaram os filhos da irmã. Na menina Ioná, perfilhada, foi mantido o sobrenome Mendes de Brito, sem o Maia.

5) Ioná Mendes de Brito, casada com Cesário Fernandes, pais de Ioná, batizada Mendes de Brito Fernandes e mais filhos e filhas (?).

6) Ioná Mendes de Brito Fernandes, casada com Francisco Nunes, pais de Ioná, batizada Mendes de Brito Nunes, e mais filhos e filhas (?).

7) Ioná Mendes de Brito Nunes, casada com Cícero Maia, pais de Ioná, batizada Mendes de Brito Maia e mais filhos e filhas (?).

8) Ioná Mendes de Brito Maia, casada com Francisco Braga, pais de Ioná, batizada Mendes de Brito Braga e mais filhos e filhas (?).

9) Ioná Mendes de Brito Braga, casada com Tibúrcio Moura, pais de Ioná, batizada Mendes de Brito Moura e mais filhos e filhas (?).

10) Ioná Mendes de Brito Moura (1835-1920), casada com Antônio Nunes, pais de Ioná, batizada Mendes de Brito Nunes e mais filhos e filhas (?).

11) Ioná Mendes de Brito Nunes (1860-1960), casada com Antônio Cordeiro, pais de Ioná, batizada Mendes de Brito Cordeiro e mais filhos e filhas (?).

12) Ioná Mendes de Brito Cordeiro (1887-1969), casada com João Fernandes, pais de Ioná, batizada Mendes de Brito Fernandes; Violeta, batizada Cordeiro Fernandes; Valmir, batizado Cordeiro Fernandes; e Francisco, batizado Cordeiro Fernandes. Vêm a ser minha tia-avó Ioná, minha avó materna Violeta e meus tios-avôs. Todos já falecidos, com exceção de Ioná.

13) Ioná Mendes de Brito Fernandes (1920-), minha tia-avó, casada com Gilbério Oliveira, pais de Ioná, batizada Mendes de Brito Oliveira. Morreu aos 5 anos (1940-1945).

14) Violeta Cordeiro Fernandes (1921-1950), minha avó, casada com Alfredo Cunha, pais de Margarida Fernandes Cunha (minha mãe), Alfredo Fernandes Cunha, Alberto Fernandes Cunha e Arlindo Fernandes Cunha. Este é meu ramo direto da família.

15) Margarida Fernandes Cunha (1938-), casada com Isaías Medeiros, pais de Ivan Cunha Medeiros, Irineu Cunha Medeiros, Ivo Cunha Medeiros e Ioná Cunha Medeiros, que vem a ser eu.

16) Ioná Mendes de Brito Cunha Medeiros (1976-).
Depois da história de minha tia-avó passei a incluir o Mendes de Brito em meu sobrenome, já que a última a carregá-lo era ela. Legalmente ainda não fiz a modificação. Consegui os registros até minha antepassada Ioná Mendes de Brito Moura, morta em 1920, aos 85 anos, em Portão do Seridó. O que nos leva ao ano do nascimento: 1835. Daí para trás, não consegui averiguar as mortes e nascimentos pois não tive mais tempo para rodar a região atrás dos sítios onde viveram os antepassados. Como a maior parte dos lugarejos só foi emancipada no século XX, e todos moravam em sítios espalhados pela região, é difícil precisar a que municípios pertencem.

É um trabalho de garimpo, mas com a vantagem de saber que as pepitas existem! As uniões endogâmicas ajudam e muito. No levantamento mostrado acima, muitos sobrenomes são recorrentes, frutos dos casamentos intrafamiliares. Outro fato a destacar — e que só reforça a existência da endogamia há muitas e muitas gerações — é que não foram encontrados muitos casos de anomalias genéticas, pelo menos nos últimos cem anos. Consultei um geneticista que me informou que isso pode ser explicado pelo tempo. Ou seja, séculos de casamentos consanguíneos eliminam os genes chamados "defeituosos", eles vão se tornando recessivos e desaparecem com o passar das gerações.

Além do levantamento da árvore genealógica, foquei minhas pesquisas nos costumes dos mais velhos. Não induzi as respostas, nem nunca toquei na palavra judeu em nenhuma das conversas. Até porque a experiência com tia Ioná me deixou de sobreaviso. As associações com a religião judaica são conclusões minhas a partir dos estudos sobre o assunto. Me serviram de base comparativa livros sobre os cristãos-novos no Nordeste nos séculos XVII e XVIII, bem como outros estudos históricos. Portanto, as associações com a tradição judaica são conclusões minhas e em nenhum momento foram aludidas por aqueles com quem conversei.

Entre os costumes que me chamaram a atenção estão os ligados à alimentação. Muitos deles praticados por mim desde pequena! A galinha é morta com um único corte no pescoço e o sangue todo retirado. Da mesma forma o boi, depois de abatido, também é sangrado. Carne de porco foi banida de muitas mesas. A alegação é que faz mal, não deixa cicatrizar as feridas. Para os mais novos, a proibição é "coisa do psicológico", mas mesmo assim eles preferem evitar. Também é costume não aceitar comida na casa de quem não é da família. Um hábito que pode ser associado à comida kosher, preparada dentro das regras de alimentação judaicas.

Outra curiosidade é a feira livre no domingo — que é dia de missa, de descanso. Também é costume vestir-se melhor aos sábados e reunir a família em volta da mesa. Um resquício do Shabat? Dia de descanso para os judeus, que começa no entardecer da sexta-feira e se encerra no início da noite seguinte. Outro costume são as velas acesas para os anjos. Como o judaísmo não cultua imagens, seria uma forma camuflada de respeito ao Deus único?

Os mais velhos também abençoam os filhos passando a mão pela cabeça, sem fazer o sinal da cruz. E existe uma série de superstições, como enterrar os umbigos dos recém-nascidos e deixar os bebês do sexo masculino por sete dias em casa, no quarto, para só então dar-lhes o nome e fazer o batizado. A circuncisão entre os judeus é feita no oitavo dia, quando a criança recebe seu nome hebraico. Entre os bem idosos, muitos têm dois nomes, o da rua e o da casa. Também é prática rezar para a lua cheia para pedir fartura. Os judeus mais religiosos, de origem sefardita, mantêm a oração até hoje.

Ana devorava as anotações de Ioná. Ali estava um verdadeiro estudo antropológico como raramente tinha visto nas bancas acadêmicas que tinha acompanhado. Se Ioná tivesse entregue o diário à professora Ethel, certamente ela estaria com as duas agora. Não eram histórias tiradas dos arquivos da Inquisição da Torre do Tombo! Não eram relatos feitos há mais de duzentos anos!

Quando Ana chegou às descrições dos costumes ligados à morte, que foram de longe os mais preservados, mal pôde conter a excitação. Lavagem dos corpos, mortalhas, potes de água esvaziados, moedas nos olhos, caixão das almas, terra virgem. Costumes tão antigos que muitos judeus "oficiais" estavam longe de conhecer e praticar.

"Quero meu corpo direto na terra, a terra é quem come nós", leu em voz alta a resposta de uma velha senhora, analfabeta, que afirmava com convicção que caixão nunca, nem que fosse de ouro! Que Ana soubesse, só em Jerusalém os enterros eram feitos sem caixão!

Adormeceu com o dia quase clareando. Em pouco tempo seria acordada por Ioná para seguirem viagem até Córrego do Seridó. Mal sabia ela que, algumas horas à frente, presenciaria aqueles ritos de morte e outros mais.

Confirmação da Aliança

As viagens de meu pai à Parahyba eram tão esperadas quanto o dia do meu aniversário. Lá vivia meu avô paterno Isaac, batizado Antônio, mas que todos chamavam de Zaqueu. Era comerciante e acompanhava os aventureiros e desbravadores nas expedições ao interior. Eles iam atrás das promessas de riquezas, das minas escondidas e montavam acampamentos ao longo dos rios. Meu avô tinha o pé no chão. O verdadeiro tesouro para ele não estava na busca dos metais, mas sim nos que o procuravam. Eles tinham que comer, beber e vestir. Era essa a mina de vovô. O comércio que ele iniciara em Olinda crescera nas mãos de meu pai com a chegada dos holandeses e estava bem estabelecido na rua dos Judeus, em Mauritsstad. E, como meu avô era um eterno desconfiado, a ele não cheirava bem esse casamento de conveniência — como ele definia a relação entre os judeus e holandeses. "Não tem amor... e se aparecer esposa mais interessante, o marido toca a perseguir a que tem!" Nós éramos as esposas! Meu pai ria e dizia que meu avô precisava ter mais fé. Finalmente Adonai havia olhado para seu povo. Depois de tanta amargura e sofrimento nos foi dada a terra prometida. O Brasil era nossa pátria e os holandeses, nossos aliados. Mesmo assim o velho Zaqueu decidiu partir para bem distante dos governantes. Confiava mais nos índios, dizia, mesmo sendo canibais. Já havia três anos que ele partira nestas empreitadas pelo interior e ia aos poucos se estabelecendo em um acampamento que crescia em torno de um riacho. Meu pai ia até lá de tempos em tempos para levar mercadorias e abraçar meu sábio avô. Quando fiz 10 anos e comecei a ajudar na loja, implorei a meu pai que me levasse na próxima vez. Se eu já tinha idade para ficar atrás do balcão podia muito bem enfrentar os dias de travessia no lombo de uma mula. Além do mais, se um dia eu tomaria conta do negócio, melhor começar desde cedo! Meu pai aceitou o argumento mesmo contra a vontade de minha apreensiva e dramática mãe. Com lágrimas copiosas que escorriam pelas salientes maçãs de seu belo rosto, esbravejava para os dois homens de sua vida que seguiam para "aquela terra de índios comedores de crianças". E foi assim todas as vezes em que parti ao lado dele, para qualquer lugar que fosse. Quando fiz 13 anos — o dia mais importante da vida de um menino judeu —, meu avô, já velho, não teve condições de enfrentar a longa viagem para assistir ao neto ser chamado pela primeira vez à Torá. Um momento histórico em nossa família. A minha confirmação plena na Lei de Moisés era o maior presente aos nossos antepassados. Por isso, no dia seguinte à cerimônia, segui com meu pai em direção à Parahyba. Transcrevi um pequeno trecho do Livro Sagrado que iria ler para o meu avô, tão mestre como os rabinos. Seria a verdadeira prova de que me tornara filho do preceito, membro da comunidade. Poder rezar, como um homem, ao lado de meu avô. Mal sabia eu que aquela viagem realmente me transformaria em um homem — e não exatamente por causa disso — e mudaria o rumo da minha vida.

18

Portão do Seridó
Manhã, 16 de março de 2000

Ana despertou assustada com os três toques na porta. Estava no meio de um sonho. Sentou-se na cama e esfregou os olhos. As imagens estavam frescas na mente. Ioná conversava com um rabino de barba e *peyots* que tinha o rosto de Pedro. De repente surgia a professora Ethel convidando Ana para ir ao cinema, mas ela não podia ir porque tinha que cuidar do bebê. E o bebê era o filho de Ioná. Havia uma estrela de davi tatuada no braço dele. Até que surgiu uma velhinha toda de preto, bem portuguesa, mandando esconder o bebê pois os nazistas estavam lá! E aí apareceu a mãe de Ana. E Ana foi atrás dela, com a criança no colo, mas a mãe não ouvia o chamado! Foi quando despertou. Com a sensação mista de vazio e saudade. Afastou os pensamentos tristes ao se lembrar do diário de Ioná.

Enquanto vestia a roupa e fechava a pequena mala, pensava em tudo que havia lido. Calculando três a quatro gerações a cada cem anos, a primeira Ioná provavelmente nascera no século XVII, já no Brasil, provavelmente filha de marranos portugueses.

— Droga de telefone celular! — pensou alto. Tinha que passar aqueles dados para Pedro. A genealogia que ele pedira estava ali e ele poderia ajudar a precisar as datas que Ioná não conseguira levantar.

Saiu do quarto com o diário na mão e encontrou Ioná sentada na mesa do café, com a prima. Estava louca para falar sobre as anotações, mas teria que guardar a ansiedade até o carro. Virou uma xícara de café em meio às conversas animadas da anfitriã sobre síndromes e doenças alérgicas. Despediram-se agradecendo a hospitalidade. Ana ofereceu a casa em São Paulo e deixou o telefone, sabendo que aquela visita jamais viria, embora a promessa existisse.

Ao entrar no carro, Ana não se conteve.

— Por que você não mostrou estas anotações antes? Você fez um verdadeiro estudo antropológico! A professora Ethel vai te ajudar! Nós temos um amigo genealogista que vai ficar louco com a sua pesquisa!

— Ana, o que eu te mostrei não é um trabalho científico para publicação... é a minha história. E quando eu procurei a professora Ethel era para ver se ela — que é uma pessoa respeitada — podia me dizer — e aos rabinos — que eu não estava maluca! Mas agora, com a morte próxima da minha tia-avó, tudo parece tão distante. Tenho a sensação de que uma parte de mim vai embora e vou viver eternamente na busca desta identidade!

— Ioná, nós vamos chegar a tempo!

Ana lembrou do sonho e resolveu contá-lo para quebrar um pouco a tensão. Mas omitiria os nazistas e a mãe.

— Sabe o que eu sonhei? Que você tinha um bebê, um menino! E ele tinha uma estrela de davi desenhada no braço!

Ioná deu uma freada abrupta.

— Eu? Um filho? Você está delirando!

— Acho que foi sua genealogia, tudo que eu li, a história com Daniel! Enfim, apenas um sonho!

Ficaram em silêncio alguns segundos. Ioná não queria conversa.

— Você acha que eu encontro um telefone em Córrego? — Ana perguntou.

— Tem uma linha na casa do prefeito. Em menos de duas horas estaremos lá. Aproveita para descansar um pouco. Está com cara de quem dormiu pouco.

Ana resolveu seguir o conselho. Encostou o rosto no vidro e deixou-se levar pela paisagem salpicada de casas de pau a pique e mandacarus margeando a estrada. Ao lado, Ioná balançava a cabeça rindo para si mesma. Um filho? Não era definitivamente o que ela esperava para este momento da vida, nem em sonho.

Descoberta do amor

O dia dos meus 13 anos foi o mais esperado de minha vida. Mas não se comparou àquela sexta-feira em que cheguei ao acampamento onde o avô se fixara e vi, pela primeira vez, a mulher que tomaria para sempre meu coração. Nos dias em que o torpor me enlaça, fecho os olhos e penso nela, flor amada. A imagem de seu semblante, emoldurado tal qual pintura, é o alimento da minha alma. Como estará? Será que recorda de mim como eu dela? Naquela sexta-feira iria contar ao avô que eu era um homem, podia ser chamado à Torá e reunir-me em esnoga. Mas eu estava enganado. O homem dentro de mim nasceu no momento em que a vi. Um calor tomou meu corpo e conheci o amor. Nossos olhares se fundiram numa rápida troca. Minha vida foi roubada de mim naquele segundo. O reencontro com meu avô foi selado com beijos e abraços. Colocamos os assuntos em dia, mas minha mente estava longe. Lavei-me e disse que precisava de um pouco de ar fresco antes do início da guarda do sábado. Meu avô não fez objeção, pois me julgava nervoso por saber que eu conduziria a bênção daquela noite. Minhas pernas me guiaram até ela. Seria fruto da minha imaginação? Não havia mulheres nos acampamentos, muito menos meninas. A capitania da Parahyba, antes Itamaracá, fora criada há três quartos de século, depois de uma revolta dos índios potiguares aliados aos franceses. Sem sucesso, Pernambuco tentou retomar o controle, mas os índios eram guerreiros. A paz definitiva só veio no fim do século passado, depois de um surto de bexiga que dizimou os índios. A esta altura já se havia estabelecido — com a ajuda da coroa portuguesa — o povoamento de Filipeia de Nossa Senhora das Neves, que depois tornou-se cidade da Parahyba. Com a invasão dos holandeses a região também foi ocupada. Mas o interior permanecia terra de ninguém. O que fazia aquela menina ali? Desci a rua perdido em pensamentos quando de repente lá estava ela à minha frente.

— Você não é daqui... está de visita?

— Meu avô vive aqui... seu Antônio Zaqueu, o mercador. De tempos em tempos acompanho meu pai para abastecer o comércio — falei com ar sério, tentando parecer mais velho do que era.

— Seu Isaac?

Fiquei mudo. Como sabia o nome que vovô usava em casa? Ela era uma das nossas! E estava me dizendo isso de uma forma indireta. Ou será que estava me testando? Apesar de vivermos no judaísmo e muitas vezes provocarmos os protestantes holandeses e cristãos portugueses com práticas em público, a situação era bem diferente fora dos domínios diretos do Conde de Nassau. Quando adentrávamos o interior de nada valiam nossos irmãos da Companhia das Índias Ocidentais. Sua força pesava sobre os que estavam na sede do governo. Nos sítios distantes, judeu era o traidor, o usurário, o que trapaceava. Portanto roubar o judeu, matar o judeu, não era considerado crime. Só havia uma forma de saber de que lado minha amada estava. Em poucos minutos a tarde cairia e a primeira estrela surgiria no céu. Se ela fosse como eu, seria o sinal para se recolher. Eu precisava desta comprovação. Como num passe de mágica a luz prateada surgiu lá em cima. Num impulso, levantei o dedo e apontei. Mas ela pulou sobre meu braço me repreendendo:

— Não faça isso! Você não sabe que apontar para as estrelas cria verrugas na ponta dos dedos? Agora tenho que ir! — e deixou-me só, à beira do riacho.

Eu a observei por alguns segundos e tomei o caminho da casa de meu avô. Foi o momento mais feliz da minha vida. Ela era como eu, da Lei de Moisés. Minha mãe contava que era costume passar a história das verrugas às crianças pequenas para que não anunciassem o começo do Shabat em público. A guarda do sábado era um dos mais fortes indícios de um lar judaizante. Minha amada, se não era judia, era uma marrana, uma conversa. Naquele instante jurei ser fiel àquela menina, que eu faria desabrochar mulher. Ela levaria minha descendência, prometi ao divino. Só havia me esquecido do mais importante. Não era eu quem escreveria as páginas de minha vida. E peço perdão ao Deus de Abraão, Isaac e Jacó. Depois de tantos anos, é a imagem dela que arrasta esse corpo curvo pelo passar dos dias. Que seu nome bendito fique cravado em meu peito para todo o sempre.

19

Córrego do Seridó
Manhã, 16 de março de 2000

A rua principal que cortava a cidade de Córrego era feita de pedras irregulares e escorregadias. Eram quase sete horas da manhã quando o carro guiado por Ioná entrou na vila. Uma bruma baixa cobria o céu. Ana cruzou os braços para espantar o frio. As janelas pintadas de cores fortes já estavam abertas e algumas mulheres varriam a poeira da calçada. No fim da rua uma praça. A cidade terminava ali. Ioná apontou o posto médico. Por trás dele, era possível ver a torre da Igreja.

— Chegamos. Mais duas ruas paralelas à direita e uma à esquerda e cinco ou seis transversais. O centro de Córrego. Tia Ioná mora ali.

Apontou para uma pequena casa branca com porta e duas janelas de um azul bem forte. Um grupo de senhoras se encontrava na entrada. A lamúria das excelências era ouvida da rua. Ioná baixou os olhos. Não havia chegado a tempo. Parou o carro e saltaram.

— "Ô anjo, ô anjo, o que está esperando... por uma *incelência* que está se rezando... sacrário aberto o Senhor sai afora... recebe esta alma que vai para a glória!"

As cantadeiras seguiam num tom monótono e constante, prostradas aos pés de tia Ioná. Entoavam versos rimados e recomeçavam, em coro uníssono e ritmado, sem maestro.

As excelências eram um costume ainda muito presente durante os velórios no interior da Paraíba, Rio Grande do Norte e Pernambuco. Eram entoadas pelas carpideiras sem acompanhamento instrumental, e se dizia que facilitavam a entrada do morto no céu. Uma prática do catolicismo popular, que não constava da ortodoxia cristã.

O lamento não podia ser interrompido e acompanhava o morto durante o cortejo até o cemitério. Um costume também comum entre os cristãos-novos portugueses. Pedir que o anjo guiasse e guardasse a alma que ia de encontro ao Senhor era uma forma de escamotear os inquisidores. Os anjos, ao contrário dos santos, não eram imagens. Portanto podiam ser cultuados sem ferir o judaísmo. As informações bombardeavam a mente de Ana. Mas ela não queria pensar naquilo agora! Por que ser tão racional sempre? Sentiu raiva. Estava igual àqueles acadêmicos empoleirados em mesas-redondas que divagavam sobre práticas e costumes que nunca presenciaram.

Por que não esquecia toda aquela teoria e se deixava levar pelo momento? Era lindo e sobrenatural. Aquelas mulheres de rostos encarquilhados e cabeças cobertas com lenços ou véus, as mãos abertas lembrando sacerdotisas em um templo. A sala era pequena com paredes caiadas de um branco alaranjado pela poeira e chão de cimento claro. Não havia um resquício de sujeira. O teto sem forro mostrava as telhas escurecidas pelo tempo.

Retratos da família, coloridos à mão, pendiam em molduras douradas e envelhecidas. Em destaque, a pintura de um rosto de menina. Com certeza a filha que tia Ioná perdera ainda criança. Em outro canto retratos pintados de Padre Cícero, Frei Damião e de uma santa que Ana não fazia ideia de quem fosse. Não havia nenhuma imagem do Menino Jesus ou do Cristo crucificado. Um calor vinha de outro cômodo. Provavelmente do fogão a lenha. Um sofá surrado coberto com uma colcha de crochê, uma mesa de canto e quatro cadeiras completavam o ambiente.

No centro da sala, sobre um tampo de madeira erguido sobre dois cavaletes, jazia o corpo. Estava envolto numa mortalha branca, costurada com pontos bem largos e visíveis. Quatro velas permaneciam acesas, duas aos pés e duas sobre a cabeça.

Ioná foi se aproximando devagar. Não havia lágrimas nos olhos, mas um desamparo tão grande que Ana instintivamente a pegou pela mão e a guiou até o corpo. As carpideiras abriram caminho sem abandonar o choro e o canto. A mais velha delas seguiu até a porta para receber o padre em meio à excelência de despedida.

O corpo foi colocado dentro de um caixão que seguiu aberto para o pequeno cemitério duas ruas abaixo. A névoa tinha se dissipado e um sol forte brilhava no céu. A multidão acompanhava o cortejo em meio às despedidas.

— O anjo da guarda te guarde! O anjo da guia te guie! — diziam os mais velhos.

Em outros tempos, o velório durava oito dias e o morto permanecia na cama. Mas aqueles que preparavam o corpo já tinham morrido sem passar o ofício. O costume atual era lavar o defunto e vestir uma roupa nova ou a mortalha de algodão. Os mais abastados punham uma moeda de prata na boca ou nos olhos para pagar o barqueiro que levava a alma. Mas, depois que profanaram uma cova atrás da prata, passou-se a colocar uma moeda de valor baixo. Tia Ioná levou a dela.

Outras tradições, no entanto, permaneciam, apesar de proibidas pela saúde pública. Não havia autoridade que ousasse desafiar o desejo do falecido de ser enterrado sem caixão, em terra limpa, que jamais recebera outro morto. O corpo era jogado diretamente numa cova funda em local virgem. A prefeitura dava os caixões, mas não havia maneira de convencer as famílias. Assim, eles acabavam virando apenas um meio de transporte do corpo até a cova. Eram chamados de caixões das almas.

A primeira pá de terra foi jogada por um primo em segundo grau, representando o pai, com mais de cem anos, que não veio ao enterro. Era o primo legítimo mais velho. Só se encontravam quando a tia se dispunha a visitá-lo no sítio. Vivia isolado e sozinho, sem luz elétrica, e se recusava a entrar em um carro. Em seguida, foi a vez do prefeito — neto de outro primo. Depois, Ioná. E por aí seguiram os parentes prestando a última homenagem. Muitos haviam nascido pelas mãos da tia. Parteira por mais de cinquenta anos, mesmo na velhice era chamada para auxiliar nos nascimentos difíceis. No interior eram raros os médicos residentes e muito mais os hospitais que se alcançassem em menos de uma hora.

Desde a chegada a Córrego do Seridó, Ana e Ioná trocaram poucas palavras. Mesmo que não tivessem parado em Portão do Seridó não teriam chegado a tempo. Souberam no velório que a tia morrera na tarde anterior.

Ao primo prefeito, Ioná apresentou Ana como uma amiga jornalista de São Paulo. Ele imediatamente convidou as duas para ficarem em sua casa e avisou à mulher que preparasse um almoço especial pois tinham uma nobre convidada na cidade. Ioná não tinha paciência para o deslumbre do primo. Aquele não era momento de celebrar nada. Disse apenas que agradecia a gentileza mas que estava sem fome e ficaria na casa da tia. Ana respirou fundo. Se odiava por estar naquele momento pensando apenas em si. Não lhe agradava nem um pouco a ideia de dormir na casa de uma pessoa que acabara de morrer. Mas pensaria nisso mais tarde. Não podia abandonar Ioná. Não teve outra saída a não ser agradecer também e dizer que acompanharia a amiga. O primo não se deu por vencido. Depois de duas ou três tentativas insistentes, Ioná resolveu aceitar o convite para o almoço para se ver livre dele.

Aos poucos a multidão foi se dissipando e restaram apenas as duas. Ioná acompanhava o coveiro a socar a terra sobre o buraco. Enquanto trabalhava, disse que plantaria uns lírios no local, flor preferida da tia-avó, que lhe salvara a mulher no parto do filho mais novo. Ana, mais atrás, observava o pequeno cemitério. Cercas de ferro delimitavam as covas sem lápides. Em outras — com certeza dos mais abastados — havia pedras de granito sobre a terra com nomes e fotos. Maridos e mulheres enterrados lado a lado. Um detalhe chamou a atenção de Ana. Todos os túmulos estavam voltados para o leste, onde o sol nasce. O que a professora Ethel diria sobre isso? Não era essa a direção do Muro das Lamentações, em Jerusalém?

Ana estava tão entretida em pensamentos que não notou a aproximação de uma senhora de cabelos prateados bem lisos arrumados em um coque. O rosto marcado pelo trabalho no sol certamente lhe dava mais idade do que tinha. Como todas as mulheres dali. Estava conversando com Ioná. De longe, podia perceber que era algo mais do que simplesmente prestar condolências. Poucos minutos depois, Ioná se aproximou de Ana. Uma expressão de contentamento tomava seu rosto.

— Essa é dona Maria Mocinha, muito amiga de minha tia... foi quem lhe deu banho e preparou a mortalha.

Ana cumprimentou a senhora que a olhava atravessado.

— Ana, dona Mocinha nos convidou para almoçar na casa dela. Sou muito grata a tudo que ela fez por minha tia. Mas, como tem o almoço do primo, pensei o seguinte: — você almoça com ele — já que a convidada de honra é a jornalista de São Paulo — e aproveita para telefonar. E eu vou com dona Mocinha! Depois passo para te pegar, ok?

E por acaso Ana tinha escolha? Concordou com a cabeça.

Dona Mocinha e Ioná saíram na frente. Ao lado do portão de ferro, havia um latão com água e uma caneca pendurada. Ioná encheu e jogou sobre as mãos da velha senhora. Em seguida lavou as próprias mãos. Ana veio logo atrás e fez o mesmo. As três deixaram o cemitério. Havia algo que Ioná não queria — ou não podia — contar. Não havia o que fazer a não ser esperar. O melhor era aproveitar o almoço e ligar para Pedro.

Desceram a rua de terra batida em silêncio até chegarem à rua principal. Ana ficou na casa do prefeito e as duas seguiram para a casa de dona Mocinha.

20

Ana entrou pelo portão colado ao muro da prefeitura. Cumprimentou a simpática e rechonchuda esposa que estava entretida com os quitutes na cozinha. Afinal, não era sempre que Córrego recebia gente ilustre da capital! E muito menos de São Paulo. Ana agradeceu a hospitalidade. Mal sabia aquela pobre mulher que Ana era uma desempregada que vivia de bico. Pediu desculpas por ter chegado antes da hora e inventou uma história para a ausência de Ioná. Quando o assunto acabou foi a vez da dona da casa quebrar o silêncio com a frase mágica.

— Se quiser usar o telefone, não faça cerimônia! — e apontou orgulhosa para o aparelho na outra sala. — Tem até fax!

— Pois eu vou aceitar! — respondeu Ana quase beijando as bochechas gordas que leram seu pensamento. — É que o celular não pega aqui e tenho que ligar... pro meu trabalho! Pode deixar que vou ligar a cobrar!

— Não se preocupe! Fale o quanto quiser! E eu vou voltar para o meu almoço! Você come carne, não come?

Ana disse que sim e agradeceu mais uma vez enquanto acompanhava a saída da primeira-dama. Pulou até o aparelho e rezou para Pedro estar em casa. Ele atendeu no terceiro toque. Aguardou impaciente a musiquinha irritante da chamada a cobrar e finalmente ouviu a voz, bem grave, do outro lado.

— Até que enfim tenho notícias da minha desbravadora!

— Você não imagina como é difícil arranjar um telefone por aqui. Desculpe a ligação a cobrar... não teve outro jeito. Estou ligando da casa do prefeito de Córrego do Seridó e não vou contribuir para o rombo do orçamento! Tenho novidades que você vai adorar!

— Antes que você comece, investiguei sua amiga Ioná Mendes de Brito. Não encontrei muita coisa. Meu amigo Macieira, grande genealogista das famílias nordestinas, prometeu um levantamento. Ele tem uma pesquisa com inventários de famílias do Seridó paraibano e potiguar! E você, o que conta?

— Que vou te adiantar o trabalho! A própria Ioná levantou a genealogia por aqui e chegou, acredito, ao século XVII! Sem as datas precisas, isso é tarefa para você. Mas os nomes estão aqui, já vou te passar. Os deuses estão ao meu lado, estou de frente para um fax!

Ana não conseguia conter a empolgação.

— Eu sei que é horrível, eu não poderia estar vibrando, mas acabei de presenciar o enterro de uma marrana!

— Você está igual à professora Ethel! Vê judaísmo em tudo! — ele rebateu numa gargalhada.

— É verdade, Pedro! — disse, séria. — Mortalha com pontos largos, corpo lavado, velas nos pés... tudo que me foi dito no cemitério israelita! Enterro em terra limpa como em Israel! Eles têm caixão mas não querem usar! E a lata d'água na saída do cemitério para lavar as mãos? Quer coisa mais judaica?! E na casa da senhora que morreu, a tia-avó de Ioná, havia um único espelho na sala, que estava coberto! Eu chequei, Pedro. Debaixo de um pano de prato, em um canto da parede... E os potes vazios? Não tem água encanada na casa! Tudo foi jogado fora para que o sírio da morte não viesse lavar sua espada. Eu ouvi isso! Você acredita? É o Manual do Inquisidor!

— Ninguém duvida da herança cristã-nova do brasileiro, mas estes costumes foram dissociados da religião há séculos! Muitos os mantêm como costumes de família. Já quanto à fé são outros quinhentos! Abraçaram verdadeiramente o catolicismo. Creem em Cristo, na virgindade da Nossa Senhora e comungam aos domingos! São cristãos de coração!

— Acredita em mim, a família de Ioná é diferente! São monoteístas. Não cultuam imagens, não frequentam a igreja. Não havia um crucifixo na casa. O que me intrigou foi o retrato de uma santa de que eu nunca tinha ouvido falar, me disseram que chama santa Abigail! Você conhece?

— Não... mas vou dar uma pesquisada. Dá para perceber que você está empolgada como não a via há tempos! Eu só quero que você vá com calma!

Ana silenciou. Talvez ele tivesse razão. Ela estava jogando naquela história as perspectivas que buscava para a própria vida. Uma vontade de viver que havia se escondido com a morte da mãe e agora voltava à tona. Mas, por outro lado, Ana sabia que não estava criando nada. Que tudo que tinha presenciado e descoberto com Ioná era fato. Retomou a conversa. Não queria brigar com Pedro.

— Bom, você vai me ajudar? E não comenta com ninguém! Espero voltar a São Paulo na próxima semana. A Ioná não sabe que estou te passando os nomes... — foi reticente e completou. — Confio em você!

— Te cuida! Vou dar o sinal do fax!

Ana tirou o papel rascunhado com a genealogia de Ioná da bolsa. Sabia que estava traindo a confiança da amiga mas ao mesmo tempo também tinha plena certeza de que Pedro seria discreto e poderia descobrir algo concreto. Ele era mais qualificado que as duas, conhecia muitos estudiosos do tema, quem sabe não encontraria algum documento perdido que ligasse Ioná ao seu passado judeu?

Ouviu o sinal do outro lado e colocou as folhas no aparelho. Agora não tinha volta.

21

São Paulo
Tarde, 16 de março de 2000

Pedro pegou as duas folhas cuspidas do fax e foi para o escritório. Os nomes pulavam do papel. Teria que percorrer pastas e pastas garimpando os arquivos. Não tinha jeito. Ou cedia aos avanços da tecnologia e passava tudo aquilo para o computador ou ia enlouquecer em meio a fichas amareladas e esburacadas pelas traças.

Ligaria para o Macieira no fim da tarde para passar os nomes. Haviam trabalhado juntos há mais de dez anos em uma pesquisa para uma fundação em Mossoró, no Rio Grande do Norte. A partir daí a amizade se fortaleceu e, sempre que um precisava de uma data, um tronco de família, uma cidade de origem, o outro estava pronto para ajudar.

Pedro era especialista em famílias cristãs-novas em Minas Gerais, São Paulo, Rio de Janeiro e Bahia. Macieira dominava o Ceará, Rio Grande do Norte, Paraíba e Pernambuco.

Começou a fuxicar os arquivos a esmo. Uma coisa que Ana tinha dito não saía da sua cabeça: santa Abigail.

— Santa Abigail... — repetiu em voz alta. Que se lembrasse não era da Igreja Católica Apostólica Romana.

Quando percorria fazendas e casas do interior levantando genealogias, se deparava com representações da Nossa Senhora e de santos de que jamais ouvira falar. Estavam nos nichos das paredes, nos oratórios, nas capelas particulares. A que mais o impressionara era Nossa Senhora da Cabeça! Mas nada se comparava aos dois santos que encontrou na cidade portuguesa de Belmonte, um reduto de criptojudeus em pleno século XX: são Moisesinho e santa Ester.

No Brasil, os falsos conversos mais abastados erguiam santuários católicos para evitar as denúncias de cristãos fervorosos. Muitos homenageavam parentes mortos nos autos de fé em Lisboa ou que judaizaram secretamente. Com o passar dos anos estes locais ganharam o nome do "santo" ou " santa" ali homenageado e tornaram-se cultuados pelos moradores da região. Podia ser esse o caso da santa Abigail.

Pedro tinha que admitir que aquilo tudo o fascinava e, mesmo que procurasse frear a impulsividade de Ana, ele também sentia que havia algo mais na história da médica. Aquela determinação o fazia lembrar dele próprio, há mais de vinte anos, quando começara a se envolver com as pesquisas de genealogia. Uma parte da história dele que ninguém sabia, que pertencia a uma outra vida, longe de São Paulo. Talvez Ana tivesse surgido para forçá-lo a olhar para trás. Por mais doloroso que fosse. Levantar o passado era como remexer as folhas assentadas no fundo de um rio transparente. Sabemos que elas estão lá, formando uma camada macia que convive com as águas translúcidas. Mas um leve toque transforma aquela paz transparente em um pântano escuro e pegajoso.

Talvez fosse um sinal para ele se abrir e colocar para fora aquelas lembranças que doíam até hoje. Tinha que admitir também que pensava em Ana mais do que gostaria. E que a vontade de descobrir algo concreto sobre o passado judaico de Ioná talvez fosse para agradá-la, para que ela não se decepcionasse.

Afinal, ele não era um cético? Por isso se tornara o aluno preferido da professora Ethel. Suposições, segredos contados de pai para filho, tradição oral eram pistas para se chegar a provas concretas. Suas pesquisas eram precisas e certeiras. Se alguém tivesse um antepassado morto pela Inquisição, uma certidão de nascimento ou casamento em Portugal ou na Holanda, um testamento em um cartório perdido do interior, Pedro achava. A professora o chamava de Indiana Jones da genealogia.

Olhou mais uma vez as duas folhas recheadas de nomes. Ali havia um começo. Deixou as elucubrações de lado e se fixou na estante destinada às famílias do Nordeste. Teria um longo dia pela frente.

22

Córrego do Seridó
Tarde, 16 de março de 2000

Ana tinha razão. Ioná estava escondendo algo. Mas que nem ela mesma sabia o que era. Quando dona Mocinha se aproximou no cemitério foi para dizer que a tia-avó tinha deixado algo para Ioná, que só poderia ser entregue a ela. O resto contaria quando chegassem — só as duas — na casa da falecida.
    Ioná conhecia bem dona Mocinha, prima em quarto ou quinto grau. Desconfiada como a tia, não confiava nem na própria sombra. Custou para dar crédito à médica. Ioná fedia a leite, resmungava, como poderia saber o que se passava com uma velha como ela? As doenças se curavam com rezas e ervas, como no tempo de antigamente! Vivia sempre cansada, dizia que era dos anos de trabalho na roça. O cabelo caía aos tufos, dizia que era de preocupação com o filho que bebia. Do nada, o peito apertava e tinha tristeza de chorar, dizia que era saudade do falecido. Tia Ioná — que era dez anos mais velha — afirmava que eram os nervos: "A comadre está com o sistema nervoso! Saudade daquele traste que só servia para bater?"

Ioná ria. O diagnóstico era simples, só precisava confirmar com um exame de sangue. Com a ajuda da tia conseguiu convencer dona Mocinha a esticar o braço. Duas semanas depois, chegou o resultado: hipotireoidismo. Um comprimido todos os dias — distribuído no posto — e o cansaço e a "saudade" do falecido foram embora! A partir daí, Ioná passou a ganhar bolos, ovos, bananas e paninhos de crochê cada vez que encontrava dona Mocinha. E o mais importante, o respeito da grande amiga de sua tia-avó.

As duas largaram Ana na casa do prefeito e desceram a rua principal. Iam de braços dados, sem trocar palavra. A cada passo o coração de Ioná apertava. Existia realmente um segredo e a ela caberia guardá-lo a partir de agora. Sentia-se um pouco culpada em relação a Ana, mas aquele era um momento dela, pelo qual ansiava há muito tempo. Conhecer suas raízes, saber de onde vinha!

Finalmente chegaram à pequena casa de janelas azuis. A chave estava com dona Mocinha, que abriu calmamente a porta. Deixou escapar uma lágrima dos olhos, rapidamente escondida pelo dedo indicador. A comadre não aguentava fraqueza, pensou. Os sapatos ficaram na porta. Não se podia usar calçados dentro de casa até a missa de sétimo dia. Os antigos falavam que era para não acordar o morto no caminho do céu. Senão ele assombraria a casa para sempre.

Ioná acendeu o interruptor e uma luz fraca iluminou o recinto. A tábua que até horas antes sustentara o corpo da tia permanecia sobre os cavaletes. Os pingos de cera endurecidos manchavam a madeira. Um cheiro de vela queimada se misturava aos odores da morte e suor. Dezenas de pessoas haviam passado por ali para um último adeus.

O calor e a concentração de cheiros sufocavam, mas dona Mocinha não deixou que abrisse as janelas. O que tinha para falar não podia ser ouvido por ninguém. Trancou a porta e seguiu para o outro cômodo, separado da sala por uma cortina poída. Uma pequena cozinha e um banheiro completavam a casa. Fez sinal para Ioná.

Era um quarto minúsculo, com uma cama de solteiro, um armário de uma porta e uma cômoda com três gavetas. Em cima, uma caixinha enfeitada com pedras de vidro servia de encosto para uma bonequinha com rosto de louça. Mais à direita, também sobre a cômoda, uma bíblia apoiada em um suporte de madeira estava aberta no salmo 91. De cada lado, dois candelabros de ágata. Parecia que a tia-avó iria surgir a qualquer momento. Tudo exatamente igual à última vez que Ioná estivera ali, antes de voltar ao Recife.

Na parede, em cima da cama, uma moldura envelhecida guardava uma fotografia amarelada pelo tempo. Tia Ioná bem jovem, o marido e a filha recém-nascida. Devia ser o dia do batizado do bebê. Estavam bem-arrumados em um lugar que parecia uma capela.

Dona Mocinha pediu que a médica pegasse a foto. As pernas gordas tinham dificuldade para subir no pequeno banquinho ao lado da cama. Ioná pegou o retrato. A cada instante a curiosidade aumentava.

— Sua tia-avó esperou o mais que pôde, mas Deus quis levá-la antes da sua chegada... Ontem, quando os anjos se aproximavam e quase se ouviam as trombetas do céu, pediu que as cantadeiras, o médico e o padre saíssem. Apontou o retrato e me fez prometer que o entregaria somente a você.

Ioná permanecia calada. Passou os dedos sobre os rostos na fotografia apagada. Virou a moldura. Um papelão antigo, colocado grosseiramente, fazia o fundo. Dona Mocinha levou as mãos para cima.

— A comadre nunca se conformou com a morte da única filha. Até que você apareceu e lhe trouxe a alegria de volta! Costumava dizer que a doutora era neta dela!

— Eu também gostava muito da tia... Vou guardar esta foto com todo carinho — Ioná não sabia o que dizer.

Tinha que ter algo mais que ela não estava percebendo. Afinal, por que aquele mistério todo? Palavras sussurradas, portas e janelas trancadas, por causa de uma foto?

— E a tia não disse mais nada? Não fez um último pedido? — continuou.

Os olhos de dona Mocinha se apertaram e ela se aproximou de Ioná.

— Bom, ela já não estava falando coisa com coisa... mas teve um pedido, sim... eu até disse que me encarregava, já que a moça mora na capital, tão longe... mas ela disse que não!

Os olhos de Ioná brilharam.

— O que minha tia queria?

Dona Mocinha não sabia como falar. Até mesmo a história da tal foto, que tinha que ser entregue com tanta urgência e sob completo segredo, parecia coisa de maluco. Aquele retrato estivera ali a vida toda! Mas a amiga Ioná havia sido taxativa e ameaçou atormentar dona Mocinha todos os dias de sua vida! Só à sobrinha-neta o retrato deveria ser entregue. Se ela não aparecesse, que se fosse junto com ela. Já o outro pedido soava bem mais estranho. Mas com vontade de moribundo não se brinca!

— Bem, a comadre pediu que você orasse no túmulo da menina Ioná...

Um breve silêncio tomou o quarto. Ioná estava tonta. Era obrigada a concordar com dona Mocinha. A tia-avó estava delirando. Primeiro aquela foto antiga do batizado, depois rezar para alguém que morrera aos 5 anos de idade e que, de comum com ela, tinha apenas o nome! Aquela história tinha ido longe demais.

Os rabinos tinham razão. Ioná tornara-se tão obcecada que não conseguia ver a realidade. Não havia passado misterioso algum para cair à sua frente e dizer-lhe que ela era outra pessoa, a mulher que desejaria ser para satisfazer Daniel. A sua família era aquela, cheia de sincretismos e costumes sem explicação, praticante de um catolicismo cheio de particularidades, com leis e rezas próprias. Mas sem nada que trouxesse revelações bombásticas. Era assim com tantas outras famílias do Nordeste. O melhor a fazer era esquecer tudo e recomeçar a vida.

Iria passar no cemitério, acender uma vela para a criança, pegar Ana na casa do prefeito e desaparecer na estrada para Recife. A partir de amanhã, meteria a cara nos livros e não pensaria em outra coisa que não fossem as provas para a residência. Voltou à realidade com o toque de dona Mocinha no braço.

— Você está bem? Quer uma água?

— Não, obrigada — disse, tentando disfarçar a frustração. — Só estou cansada e triste de não ter chegado a tempo de encontrar a tia com vida. De qualquer forma, amanhã tenho que voltar a Recife.

Ioná não via a hora de ir para a rua e respirar. Foi direto ao assunto.

— Eu não achei o túmulo da pequena Ioná... fica perto da tia? Vou passar lá agora.

Dona Mocinha apertou as mãos e franziu a testa.

— Esse é o problema... É que a pequena Ioná não está enterrada aqui. Está no sítio da Estrela, que fica não muito longe... mas a estrada é meio ruim... empoça com as chuvas... por isso que eu disse à comadre...

Dona Mocinha continuou a falar, mas Ioná não ouvia mais nada. Estava com raiva de si mesma por estar sendo insensível e egoísta. Só faltava essa, ter que se embrenhar pelo Sertão atrás de um cemitério perdido para cumprir o último desejo de um morto. Neste exato momento não se lembrava da tia como alguém que lhe trouxera bons momentos, mas como uma senhora gagá que lhe pregara uma boa peça no fim da vida.

23

Ana nunca imaginou que pudesse ouvir as histórias que ouviu naquele almoço. O telefonema para Pedro a deixou animada mesmo que ele procurasse conter a empolgação dela. Gostava de ouvir a voz dele, dava-lhe segurança.

Agora, à mesa, eram só os três — ela, o prefeito e a esposa —, mas havia comida para um exército. Filezinhos de tilápia fritos, truta ao forno, carne assada e asinhas de frango. Tudo da pequena Córrego, dizia a orgulhosa dona da casa.

— Nós pescamos o peixe, damos pasto ao gado e criamos a galinha. As pessoas acham que a gente só come farinha com feijão! Culpa da tevê!

Da horta, veio a bela salada de alface, cenoura, tomate e rabanete. De acompanhamento, batata frita, macaxeira, arroz branco, feijão e lasanha de queijo e presunto. O prefeito fazia questão de frisar que era tudo com verba privada. O pai era um agricultor nascido em Córrego que partira para a Tromba do Elefante, fronteira do Rio Grande do Norte com Paraíba e Ceará, aos 15 anos. Começou com uma pequena lavoura de café. Trabalhou duro de sol a sol e da terra tirou o sustento dos cinco filhos. Todos fizeram faculdade. Os dois mais velhos voltaram e transformaram a pequena plantação em uma das maiores fornecedoras do grão no país. As irmãs montaram um escritório de advocacia em Fortaleza. Coube a ele, o caçula, voltar a Córrego e fazer a boa política em nome do pai.

— O velho Abdias só completou o primário, mas sabia mais do que muito professor. Era um idealista, dizia que o nordestino era uma eterna fênix. A seca, a enchente, a lei da bala, a corrupção dos coronéis. Nada nos derruba! Lá está o homem da terra disposto a recomeçar!

Era bom conviver com gente de verdade, pensou Ana. Apesar de Ioná considerar o casal deslumbrado, eles eram autênticos. Não havia dissimulação nem falsos elogios. Ana falou do tempo em que trabalhou na televisão, depois dos anos na editora. E agora, não chegava a ser uma mentira, estava envolvida no projeto de um documentário.

— Sobre o quê? — perguntou a mulher do prefeito. — Vão filmar em Córrego? A casa está às ordens!

— Na verdade ainda estamos em fase de pesquisa... é sobre famílias antigas do Sertão.

— Então veio ao lugar certo! — completou o prefeito. — Nós aqui somos praticamente uma só família. E estamos aqui desde o tempo dos índios! Todo mundo é primo; se não é legítimo, é primo segundo, primo terceiro e assim por diante. Meu pai foi para o Rio Grande do Norte, mas mandou vir uma prima daqui na hora de casar. Minha mãe era prima terceira.

— É mesmo? — Ana deu corda para que ele falasse.

— Meu pai dizia que para constituir família só com gente do nosso sangue. Que tem a mesma índole e caráter. Nós — e apontou para a esposa — somos aparentados. Minha bisavó paterna casou-se em segundas núpcias com um primo e nasceu a avó da Celina. E se você rodar a cidade só vai ouvir histórias assim.

— E a dona Ioná? Era parente sua por onde?

— Tia Ioná era prima em segundo de meu pai. De certa forma, devo a vida a ela. Minha mãe estava grávida de seis meses e durante visita à minha vó passou mal e começou a sangrar muito. Achou que ia abortar. Então a madrinha, como eu a chamava, veio à nossa casa. Mãe nenhuma havia morrido em suas mãos. Trancou-se no quarto, só ela e minha mãe, e fez a reza da parteira, que segurou o bebê. Minha mãe ficou em Córrego, de cama, até meu nascimento três meses depois. Pelas mãos de tia Ioná. Virou madrinha. Fui o único dos meus irmãos a nascer aqui. Talvez por isso tenha ficado tão ligado à cidade.

Ana escutava fascinada.

— E que reza era essa?

— Ela não dizia nem por decreto. Quebrava a força. Só podia ser falada no momento de agonia. Tia Ioná era cheia de superstições. Soube há pouco tempo, por uma velha empregada da fazenda, que uma das mandingas da tia — foi assim também no meu parto — era colocar uma cabeça de galo na porta do quarto da mulher que ia dar à luz.

Ana não podia acreditar no que ouvia. Aquele era um costume dos marranos portugueses. Havia aprendido com a professora Ethel. Ioná nunca havia falado sobre isso! Provavelmente não sabia. Ela, que sempre achara o primo um bobo, iria se surpreender.

— Puxa, eu nunca ouvi falar disso... A tia Ioná devia ser uma figura. E as pessoas obedeciam mesmo?

— Todo mundo respeitava. Quer ver outra coisa? Se nascesse menino, tinha festa. Já com menina não se comemorava... E só se dava o nome da criança depois de uma semana de vida! Nesse período a mãe mantinha o bebê no quarto, em vigília, para que a lua negra não viesse roubar a criança! Só não me pergunte que lua é essa que eu não tenho ideia! Aliás, se você gosta destes "causos", como se diz por aqui, precisa visitar os sítios da região. Os mais velhos ainda moram por lá. Temos um tio com 102 anos, imagine você, que vive no meio do mato sem energia elétrica e com a cabeça melhor que a nossa!

O primo falou do tal sítio onde morava o mais velho dos parentes. Se o acesso era complicado hoje, imagina como devia ser há duzentos anos. E a família já vivia por lá!

Ana estava adorando a história, ao contrário da esposa do prefeito. Depois de todo o trabalho na cozinha, não era justo que o marido monopolizasse a convidada de honra. Ela também tinha histórias interessantíssimas para contar. Não era uma simples dona de casa. E desandou a enumerar os projetos que havia encabeçado desde que se tornara primeira-dama. Ana aproveitou o momento para devorar a truta. Será que Ioná demoraria? Tinha certeza de que ela viria com novidades.

Promessa

Os dias e as noites voaram durante o período em que fiquei no acampamento com meu avô. Cada minuto — do momento em que acordava até a hora de deitar — era dela. E, quando o sono me tomava, nos sonhos lá estava ela. Meu pai voltou para casa três dias após aquela sexta-feira que marcou para sempre a minha vida. Depois de nosso primeiro encontro pouco antes do entardecer, entrei esbaforido na humilde construção que o avô chamava de casa. Toras de madeiras intercaladas com barro e dois buracos cobertos com tecido grosso, que faziam as vezes de janelas, formavam um retângulo dividido internamente em três minúsculos cômodos. Lavei-me com água fresca do riacho. As cortinas já estavam devidamente cerradas e, na falta de uma mulher, meu avô acendeu as velas e eu conduzi as orações naquela noite. Sei que D'us me perdoou por ter dividido os pensamentos entre as palavras da bênção e a vontade daqueles olhos do azul mais celeste que já vi. Depois de comermos e bebermos, meu pai pediu licença para se retirar. Meu avô puxou-me pelo ombro e me deu um forte abraço. "Você agora é um homem", ele disse, "com deveres e obrigações de um homem". Eu continuaria a família. Cuidaria dos negócios e levaria o nome às gerações seguintes. Era um filho único como meu pai. Cabia arranjar uma boa moça que passasse aos filhos a sabedoria e os preceitos de nossa Lei, como fizeram minha avó e minha mãe, já que o mundo não lhe havia dado nem filhas nem netas. Eu já tinha essa moça, pensei comigo. Entre nós, ele dizia, as mulheres é que passavam a tradição, não eram os homens, eram as mulheres. Você nasceu no mundo livre, repetia enérgico, mas só chegamos aqui por causa de nossas matriarcas, que nunca se curvaram à espada da Inquisição. Criaram subterfúgios, disfarces, lendas. Batia nas têmporas enquanto falava. "Guardaram o que havia para guardar — as orações, os dias de reverência, as regras da alimentação. O Livro Sagrado ganhou vida em suas mentes e foi passado de mãe para filha e assim por diante. A Lei de Abraão, Isaac e Jacó vive graças à força das quatro mães de Israel: Sara, Rebeca, Lia e Raquel, que se eternizaram em nossas mães! Você nasceu judeu, fez o pacto no oitavo dia e tornou-se filho do preceito na sinagoga. Diferente de mim, de seu pai e de todos os antepassados mais próximos. Mas nunca se esqueça que nossa religião só resistiu pela força de nossas mulheres!" Queria discutir com o avô, mas tinha tanto respeito e admiração por aquele velho sábio que não ousava discordar. Aquela situação fora um momento na história dos judeus. O avô vivera a maior parte da vida sob o jugo do Santo Ofício. Conhecera uma outra Lei, que não era plena. O judaísmo não era aquilo. Às mulheres cabia levar a semente, elas davam o ventre. Aos homens cabia estudar as escrituras e encaminhar a família na verdadeira fé. Passados tantos anos, como queria dizer ao avô que ele estava certo. Mas naquele momento eu só tinha olhos para a minha amada e concordei com ele. Afinal, eu tinha encontrado a mãe de meus filhos! Encarei meu avô e — como cabia ao homem que eu agora era — disse que não se preocupasse. Aquela mulher já existia e estava ali bem perto de nós. A menina dos olhos de céu, ele disse. E as lágrimas escorreram pelas bochechas enrugadas pelos anos.

Eu nunca vira meu avô chorar. A história que ele me contou só fez confirmar que D'us era o senhor do destino e contra ele nada podíamos. Naquele momento eu louvei Adonai como nunca, pois era toda a minha vontade. O mesmo Adonai que anos mais tarde me tirou o que de mais sagrado havia me dado. Mas isso foi anos depois. Naquele momento eu só queria saber quem era a minha amada. Nascera na Holanda, judia como eu, de pais conversos. Eram gente da Nação, como os meus antepassados, mas conseguiram fugir de Portugal um século depois da instauração do Santo Ofício. Foram para a Holanda, aonde retornaram à Lei Velha. Com a vinda dos batavos para a colônia, o pai resolveu tentar a sorte no Novo Mundo. Era ourives e conhecia também as pedras preciosas. Tinha notícias de que estas terras eram ricas em tudo, de certo o seria nos metais. Trouxe a mulher e a filha pequena. Chegaram a Pernambuco no ano de 1640, há exatos dez anos. A menina tinha a mesma idade que eu. Logo seguiram para a Parahyba, onde fixou a família na costa. Mudou o nome de Moise para Moacir. Mais fácil de falar e menos comprometedor. Apesar da presença holandesa, a perseguição espreitava os judeus e os cristãos-novos. Começou a correr o interior. Como era fluente no português e no holandês, intermediava transações dos estrangeiros com a gente da terra. A chance real de fortuna veio com a proposta de sociedade de um cristão-novo que teria a dica de uma mina de ouro pelos lados da Parahyba e do Rio Grande. Colocou as economias na empreitada. Logo veio ter no acampamento onde o avô já vivia. Tornaram-se amigos. Sonhava em dar à mulher e à filha a vida que prometera ainda no Velho Mundo. Ficava tempos sem ver as duas. Quando podia ia ao litoral. Queria trazê-las para junto dele mas ali não havia como proteger as mulheres. Era território dos aventureiros, os índios canibais foram postos a correr mas o homem podia ser um predador bem pior. Fora o velho Zaqueu — gente da Nação como ele — que o aconselhara a manter a religião nas paredes de sua tenda. O tempo passava e a chance de encontrar ouro se afastava cada vez mais. Em compensação, intermediava mais transações e ia aumentando o pé de meia com as comissões. Sonhava tornar-se sesmeiro, pois a essa altura antevia o futuro da terra. Mas sabia ser impossível, pois o território já fora fatiado pela coroa portuguesa. A expansão das lavouras no litoral empurrava os criadores de gado para o interior. Era atrás deles que ia. Um belo dia conheceu um matuto que tinha a força de um Golias, o cérebro de uma galinha e um coração de açúcar. Moise tinha dinheiro e inteligência. Uniram forças e se embrenharam cada vez mais. A vida corria de vento em popa. E Moise já juntara tanto que era possível construir uma bela casa para a mulher e a filha. Na manhã em que decidiu partir ao encontro das duas foi tomado de forte dor no peito. Chamou o velho Zaqueu. "Minha hora chegou. É vontade Dele que eu parta sem me despedir dos meus únicos amores. Faço-lhe um pedido." No leito de morte selaram a promessa. Meu avô pediu a mão da filha de Moise para seu único neto. Eu. E Moise deu-a com muita honra. Aquilo acontecera há dois anos. Eu e ela tínhamos 11 anos. Meu avô jamais comentara com meu pai sobre o acordo selado. Falaria quando chegasse a hora. Era de família boa e pura como a nossa. Não haveria melhor partido para mim. Ao sócio — que tinha se mostrado homem de palavra — Moise pediu que nada faltasse à mulher e à filha. Promessa mais que cumprida. Pouco mais de dois anos depois da morte do ourives, o sócio foi ter na cidade da Parahyba e voltou casado com a viúva. Tomou a menina por filha e ela recebeu os óleos do batismo na Igreja. Homem de mais de 50 anos, também viúvo sem filhos, lhe agradava formar família. O tamanho de sua ignorância só se comparava ao respeito pela mulher do sócio morto. Agora sua. Ele as trouxera ao acampamento para conhecer meu avô, que o ourives tratava como um pai. A viúva permanecia fiel à primeira crença. Jejuava na época do Dia Grande. Usava caçarolas novas na época da Páscoa. Jamais ajoelhava na igreja e o salve-rainha era para Ester. A meu avô, ela confessou que havia raspado o óleo da testa da filha logo após o batismo. Eu escutei aquilo tudo abismado. Ela já era minha e eu nem sabia. Eu e o avô nos abraçamos. Queria que os anos passassem rápido. Eu tinha que prosperar para que o matuto me concedesse a mão da minha amada. Ele tomara tal afeição pela menina que se considerava pai dela. Olhando para trás, preferiria que o tempo tivesse parado e eu tivesse vivido eternamente aquela sexta-feira.

24

Córrego de Seridó
Final de tarde, 16 de março de 2000

Ioná chegou à casa do primo ao entardecer. Não havia comido nada o dia inteiro e o rombo no estômago doía. A foto estava envolta por um lençol puído. Estava cansada. Tanta expectativa para acabar ali. Não havia segredo algum, nenhuma revelação que mudaria a sua vida.

Abriu a porta destrancada e entrou silenciosa. Ana estava largada no sofá da sala e dormia por trás de um jornal. A mulher do primo surgiu no corredor com o dedo indicador cobrindo a boca em sinal de silêncio. Chamou Ioná.

— A coitadinha está morta. Seu primo Albano, você conhece, encheu a pobre com aquelas histórias que ninguém aguenta mais! E você faça o favor de sentar, que o prato está esperando no forno! Está com cara de quem não come há dias!

A médica fez menção de responder, mas a mulher de braços rechonchudos e bochechas rosadas já havia puxado a cadeira e empurrado Ioná para a mesa. Deixou-se levar. Um aroma delicioso invadiu as narinas. O melhor a fazer era comer uma boa refeição e tomar um banho quente. Não iria aguentar o bombardeio de perguntas de Ana. Não neste momento.

— Obrigada, de verdade! Estou faminta... e acho que vou aceitar o convite para dormirmos aqui.

— O quarto já está pronto! — respondeu exultante a primeira-dama enquanto tirava o prato do forno. Agora era pensar no jantar e preparar o bolo para o lanche. Era o tipo de dia de que ela gostava.

Ana acordou de um sobressalto. O braço esquerdo formigava e a camiseta, na altura do ombro, estava úmida. Olhou o relógio. Havia dormido cerca de duas horas. Olhou em volta. Os únicos ruídos vinham da cozinha, acompanhados do cheiro de café recém-passado. Onde estaria Ioná? Em poucos segundos veio a resposta. A médica entrou na sala com os cabelos molhados. O tom da voz traduziu o desânimo.

— Pus sua mala no quarto. Achei melhor dormirmos aqui. Amanhã cedo voltamos para Recife.

— O que aconteceu, Ioná? — perguntou Ana, preocupada. — Como foi o almoço com dona Mocinha?

Mas ela parecia não escutar.

— Sabe de uma coisa, Ana... está na hora de eu seguir a minha vida! Meus colegas de faculdade estão metendo a cara nos livros para as provas de residência e eu aqui, neste fim de mundo, procurando o quê, exatamente? Queria te pedir desculpas por te envolver nesta viagem maluca.

— Você não me deve desculpas por nada! Mas pode me explicar o que está acontecendo?

— Eu menti para você, minha tia deixou algo para mim.

Aos poucos, foi contando tudo que ocorrera na casa da tia. As janelas fechadas, o clima de mistério e a conversa sem sentido com dona Mocinha, que culminou na entrega da foto e no pedido para que ela fosse ao túmulo da pequena Ioná em um sítio afastado da família. Ana escutava atenta e concordava com a médica. Não havia lógica. Mas, ao contrário de Ioná, acreditava que podia haver algo nas entrelinhas. Pediu para ver a foto. Ioná saiu pelo corredor e voltou segundos depois com a moldura nas mãos.

— O retrato ficava em cima da cama da tia. Ela, o marido e a filha ainda bebê. Me parece que é o dia do batizado da menina. Parece o fundo de uma capela, não é?

Ana observou a foto atentamente. O casal, de corpo inteiro, segurava o bebê vestido de branco. Estavam bem-arrumados, em um lugar fechado. O que fazia lembrar uma capela era o pequeno oratório, logo atrás, em segundo plano. Ioná não prestara muita atenção na peça. Mas Ana ficou intrigada.

— Preciso pegar algo na mala... já volto!

Ana foi até o quarto para retornar em seguida com uma lupa nas mãos.

— Herança da minha infância de Sherlock Holmes! Sempre viaja comigo! — brincou enquanto chamava Ioná até a mesa. — Aqui tem mais luz.

Passou a lente rapidamente pelo rosto da criança, da tia e do marido para logo chegar aonde interessava. A fotografia perdera muito da definição. As manchas de mofo pontilhavam de preto o papel amarelado pelo tempo. Mas com a aproximação da lupa a peça ganhou volume. Era um oratório de madeira de uns 40 centímetros de altura. O lugar para os santos estava fechado por uma porta com trava também de madeira. Os quatro pés de sustentação faziam uma curva para fora. O desenho era simples e reto. Não havia figuras pintadas nem talhadas. No alto da peça, o teto em formato de V invertido trazia uma cruz. Um oratório semelhante a vários da região. Exceto por um detalhe que Ana apontou para Ioná. Abaixo da cruz, sobressaía uma outra peça, em relevo, que lembrava uma flor-de-lis. Da base oval nasciam três pétalas simétricas. As duas observaram o desenho. Ana esboçou um sorriso triunfante.

— O que lhe parece? — perguntou para a médica com ares de quem tinha feito uma grande descoberta.

Ioná não tinha outra resposta que não fosse uma flor-de-lis. O que Ana tinha visto ali? A jornalista prolongou o suspense. Era tão óbvio! Como é que Ioná não percebia o detalhe?

— Você está tão preocupada em buscar o oculto que não consegue ver os sinais a sua frente! — exclamou. — Sua tia te deixou uma mensagem, sim! Aliás, que sempre esteve escancarada, no quarto dela, e você nunca prestou atenção!

Ioná estava cada vez mais confusa.

— Fala logo! — respondeu sem paciência.

— Ioná, é um oratório criptojudaico! Isto é um *shin*! A letra em hebraico que está na mezuzá! A letra "S" que inicia a oração sagrada do Shemá Israel!

A médica ficou muda. Ana tinha razão. Era um *shin* estilizado. E estava abaixo da cruz! Os olhos se encheram de lágrimas. O que mais a tia queria dizer-lhe? Viraram o quadro. Ioná foi até a cozinha e voltou com uma faca de serra. Rasgou os cantos cirurgicamente para não danificar o retrato. Depois faria uma nova moldura. Atrás da fotografia, escrito com bela caligrafia, provavelmente do fotógrafo, os seguintes dizeres:

> Ioná Mendes de Brito Oliveira. Batizada em oratório da família.
> 7 de junho de 1940.

As duas se entreolharam. Ioná foi a primeira a falar.

— Batizada em oratório da família! Minha mãe nunca me falou sobre isso! Será que ele ainda existe? Onde estará? Em algum lugar escondido na casa de tia Ioná? — as perguntas se atropelavam ao sair da boca.

— Quem sabe no local do túmulo da pequena Ioná? — divagou Ana.

— No sítio da Estrela? — Ioná completou enquanto mordia o lábio inferior.

Era isso! Afinal a tia havia pedido com veemência que ela visitasse o local de sepultamento da menina. Será que a peça estaria lá? Passou os dedos pelo rosto da tia na foto e lamentou mais uma vez não ter chegado a tempo.

Ana interrompeu os pensamentos da médica. O rosto se abriu em outro sorriso triunfante.

— Sítio da Estrela?! Você disse sítio da Estrela?! É lá que mora o tio Elias! Eu sei quem vai nos levar até lá!

Chegou até a janela e apontou para o jipe do prefeito, estacionado na porta. Ioná estava boquiaberta.

— Já dirigiu um 4×4? Pois se prepare! Nós vamos nos embrenhar no Sertão! — falou uma Ana triunfante.

— Tio Elias? Do que você está falando? — perguntou Ioná, surpreendida pela súbita alegria da outra.

— Às vezes não é de todo inútil jogar conversa fora com a parte deslumbrada da família!

Ana contou rapidamente a conversa durante o almoço. Agora precisavam convencer o primo a emprestar o carro e mostrar o caminho. Ioná escutava a tudo sem dizer uma palavra. Como é que nunca ouvira falar do tio Elias nem do sítio da Estrela? Conhecera tantos parentes da região. Ana, em uma única conversa, descobrira coisas que ela nem imaginava. Será que ela, Ioná, estava tão voltada para o próprio umbigo que não conseguia ver nem escutar o que os outros tinham a lhe dizer?

25

Sítio da Estrela, Sertão do Seridó
Manhã, 17 de março de 2000

Saíram logo que o dia clareou. A estrada era bem acidentada, alertou o primo. Era melhor que um funcionário da prefeitura as acompanhasse. Teriam que voltar no mesmo dia, pois não havia onde dormir no sítio. Ele francamente não recomendava a casa do tio. O menor problema que enfrentariam, acrescentou, era a falta de luz elétrica. Ana e Ioná trocaram olhares. Não perguntaram qual seria o maior.

As duas insistiram em ir sozinhas. Ioná lembrou ao primo que já havia rodado bastante os arredores no período em que trabalhara no posto médico e que conhecia um pouco a região. Mas o argumento mais convincente foi o de Ana. Disse, muito de leve, que não seria de bom-tom deslocar um funcionário do governo em uma missão particular. Estavam profundamente gratas com a preocupação do prefeito, mas aquele gesto ingênuo e descompromissado poderia ser um prato feito para os adversários políticos. Ele concordou, não muito convencido, e fez as duas prometerem que estariam de volta antes do entardecer.

Ioná não mentiu sobre o motivo principal da viagem — visitar o túmulo da única filha da tia-avó, morta aos 5 anos de uma doença nos pulmões —, mas omitiu o oratório. Estrela ficava a menos de 30 quilômetros de Córrego, mas, dependendo de como estivesse a estrada, podia-se levar mais de duas horas para chegar lá. A chuva dos últimos dias provocara deslizamentos em alguns trechos, obrigando pequenos desvios pelo meio da mata. O primo entregou um mapa com alguns pontos-chave para que não se perdessem. Encontrariam duas bifurcações no caminho. Na primeira entrariam à direita e na segunda, à esquerda. Depois atravessariam uma ponte estreita de madeira sobre um riacho raso e largo, passariam por uma pedra com um coração pintado com tinta branca — brincadeira de algum apaixonado, mas que passara a servir de indicação — e uns 500 metros à frente encontrariam a porteira do sítio de tio Elias. Não havia como errar.

Mesmo com todos os alertas para o retorno naquele mesmo dia, embarcaram no carro com um pequeno kit de sobrevivência. Lanterna, lampião, colchonetes, barraca de camping, casacos impermeáveis, galochas, uma pá — para tirar terra da estrada —, uma barra de ferro — para alavancar pedras —, um sinalizador e uma espingarda de caça — que Ana preferiu não perguntar para quê. No banco traseiro, o farnel preparado pela esposa do prefeito e mais a dúzia de garrafas de água mineral garantiriam pelo menos uma semana de sobrevivência na selva.

Não eram ainda seis horas da manhã quando deram a partida na caminhonete. O primo não estava brincando quando falou dos desvios e obstáculos na estrada. Aliás, chamar aquilo de estrada era um elogio. Talvez existisse sob o mato alto que crescia entre as pedras. O carro quicava a uma velocidade de 20 quilômetros por hora. O ponteiro mal se mexia. Agora Ana entendia toda aquela comida e água. Demorariam uma semana para chegar ao sítio. No volante, Ioná seguia tensa, com as duas mãos bem firmes e os olhos vidrados na paisagem desconhecida. Talvez tivesse sido melhor ter aceitado a proposta do primo. Um motorista não seria nada mal. Mas não adiantava chorar o leite derramado. Já estava feito. Eram só as duas.

Ana começou a falar sobre as histórias contadas durante o almoço. O tio de 102 anos vivia sozinho no meio do nada e ainda era lúcido. Diziam que era bruxo. Tivera malária, doença de Chagas e tantas outras enfermidades do mato. Sobrevivera com sequelas que não lhe impediam a vida solitária. O terreno tinha uma nascente e uma pequena roça, da qual um vizinho ajudava a cuidar. Os filhos iam de tempos em tempos e levavam carne salgada, arroz, café e açúcar. Era um homem de poucas palavras, mas certamente receberia Ioná sem reservas, pois era sobrinha-neta da prima que ele muito respeitava.

Para Ioná, as palavras de Ana batiam como raio. Eram a constatação de sua própria arrogância. Desviara os convites de almoço do primo tantas vezes por considerá-lo fútil e mesquinho. Quando conversava com os parentes direcionava o assunto e acabava por intimidá-los. Talvez tivesse sido assim com a tia-avó. Tudo vinha à tona agora tão claramente, e ela não podia fazer o tempo voltar. Na sua ânsia de descobrir costumes e questionar origens, não deixava os outros falarem. Quando começavam a mudar o rumo da conversa, cortava e retomava a mesma tecla. Só ouvia o que queria ouvir. Muitas vezes ficava impaciente e inventava uma desculpa para ir embora quando o papo desvirtuava para o trabalho na roça, as ervas do mato, uma receita de bolo. Se tivesse sido menos prepotente e escutado mais do que falado, certamente já teria chegado a Estrela bem antes da morte da tia. Seguiu calada fingindo estar mais atenta à estrada do que realmente estava.

Passava um pouco das oito da manhã quando as duas avistaram a porteira. O mapa era perfeito e não tiveram dificuldade em seguir o caminho, fora os obstáculos da própria natureza. Ana saltou e retirou o pedaço de arame torto que mantinha o portão preso à cerca. O capim estava tão alto que a sensação era de um sítio abandonado. Esperou Ioná passar, fechou o trinco improvisado e voltou para a caminhonete. As duas andaram cerca de um quilômetro até avistarem duas pequenas construções escondidas por uma plantação de mandioca e outra de milho. O carro rodou mais alguns metros e parou em frente a um vira-latas de porte médio com os caninos expostos e olhar de poucos amigos. Segundos depois um senhor magro e curvado, de barba branca e falhada, chapéu de palha na cabeça e um par de chinelas havaianas, de cores diferentes, surgiu na porta do casebre. Ioná abriu a janela e acenou.

— Se aquiete, Batuta, assim você espanta as moças! — Aproximou-se com o cão desconfiado ainda em posição de guarda.

— Tio Elias? — a médica se adiantou com um sorriso. — Eu sou Ioná, sobrinha-neta de Ioná Mendes de Brito, de Córrego....

O velho abriu um sorriso ao encontrar aqueles belos olhos azuis, iguais aos da prima falecida. Os dele também eram. Uma marca da família. As duas saltaram e o cachorro se aproximou abanando o rabo. Ana se lembrou de Ilaga, que a essa hora deveria estar esparramado na cama da empregada.

— Meus sentimentos pela passagem da prima... não pude ir porque as raízes — e apontou para as pernas — estão fincadas na terra. Meu filho veio me buscar, mas essa carroça — disse apontando para o carro — pula mais que mula dando coice. A coluna não *guenta*.

Ioná riu e se aproximou. Tinha imaginado encontrar um homem de olhar desconfiado, com uma espingarda na mão e pouca conversa. Mas a figura a sua frente mais parecia um druida sertanejo.

— A senhora é a doutora, não é? — e apontou para Ana.
— Ela também é parente?

Foi aí que Ioná lembrou-se da jornalista, que a essa altura brincava com o cachorro.

— Não, é... enfermeira! Trabalhamos juntas! — Ana olhou para ela sem entender o porquê da mentira, mas Ioná não queria dar muitas explicações e achou mais fácil apresentá-la assim. — E a estrada era meio perigosa para vir sozinha.

O velho balançou a cabeça em sinal positivo e descansou o queixo sobre as mãos apoiadas no cajado. Os segundos de silêncio foram quebrados por Ioná.

— Tio Elias, posso chamá-lo assim? — ele concordou com a cabeça. — O que me trouxe aqui foi o último pedido de minha tia. Ela queria que eu orasse no túmulo da filha, que está enterrada aqui no sítio da Estrela.

O velhinho se empertigou e cerrou a boca. Encarou a médica com o olhar atravessado. Fora os filhos, a prima falecida era a única que aparecia ali desde a morte da criança, há 55 anos. Vinha todos os anos rezar pela menina. Nenhum parente nunca tivera interesse nos mortos que ali descansavam.

— A comadre pediu... é ordem. Mas ela também? — disse enquanto dirigia o olhar para Ana.

— A tia gostava muito de Ana — disse instintivamente. Não deixava de ser verdade, uma vez que tinha certeza que a tia, se fosse viva, adoraria a jornalista. Além do mais, se não fosse por ela, não estariam ali.

Ele sacudiu os ombros e saiu por uma trilha fechada, em direção à outra construção. As duas o seguiram com o mato pela cintura. Ana se preocupava com as cobras. Ioná com a desconfiança do tio. Mas até que era bem plausível. Nenhum parente jamais havia aparecido para tal visita. E muitos moravam em Córrego e nos arredores. E aí surgia ela, a doutora da capital. Era de estranhar.

À medida que atravessavam o caminho não roçado, a pequena construção ganhava forma. A uns vinte metros do local puderam distinguir a casinha de um só cômodo, com uma grade de ferro — no lugar da porta — e uma cruz de madeira no alto. Era uma capela. As paredes de um branco sujo deixavam os tijolos aparentes em vários pontos. Não via tinta há décadas, mas não chegava a estar abandonada. A corrente que prendia a grade era relativamente nova e o cadeado, de um dourado sem ferrugem, estava destrancado. As duas olharam de relance por entre os vãos da grade mas foram gentilmente barradas pelo velho, que se colocou entre elas e o portão.

— A pequena Ioná foi enterrada logo ali — e apontou para um cercado de madeira em torno de uma lápide fincada no chão. — Foi a única da família no tempo de nós. Aqui costumava ser um cemitério no tempo dos antigos... depois virou roça... mas diz que tem muitos da gente por aí. Agora a prefeitura não deixa.

As duas se aproximaram. Uma foto pintada do rosto de uma menina, com um sorriso doce e triste, estava presa no meio da pedra de granito preto. Logo abaixo estava talhado:

Ioná Mendes de Brito Oliveira. 31/05/1940 — 25/08/1945

As duas se entreolharam. Haviam tido o mesmo pensamento. A pequena Ioná fora batizada no dia 7 de junho, a data que estava no verso da fotografia. Portanto, sete dias depois do nascimento.

Ioná baixou os olhos e fez menção de ajoelhar. Não tinha costume de rezar na igreja e muito menos em um cemitério, mas achou que era o apropriado. O tio segurou-lhe o braço com tal força que era difícil acreditar que viesse daquele senhor raquítico.

— Não na nossa família! Nosso costume não é esse! Tem certeza que a prima lhe mandou? — falou enquanto fuzilava a médica com o olhar aterrorizado.

Sem saber o que dizer, respondeu ao olhar com a mesma força, com um leve movimento para o lado, onde estava Ana. Não podia perder a confiança do velho neste momento.

— O senhor não se ajoelha para rezar? — falou Ana com a voz mais inocente do mundo.

Ioná deu um suspiro aliviado. A jornalista entrara no jogo. Agora o velhinho era cúmplice da médica. Tio Elias olhou novamente para ela sem saber o que dizer. Ioná piscou para ele como quem tem a situação sob controle.

— Nosso costume é colocar primeiro uma pedra para chamar a pessoa falecida... depois a gente reza para ela — não sabia de onde tinha tirado aquela história, mas agradou ao velho. Ficava devendo mais uma a Ana. O elo com o tio — e o passado — fora criado. Percebeu também que, se realmente houvesse algo a ser dito, não seria com Ana por ali. Ioná apontou para a capela, desviando a atenção do tio.

— E essa capela? O senhor que construiu?

— Essa capela é do tempo dos antigos.

Enquanto ele falava, Ioná fazia sinais com os olhos e as mãos para que Ana se afastasse, inventasse qualquer história para sair de perto dos dois. Ana pescou a mensagem.

— Nossa, lembrei do meu remédio! Vocês me desculpem, mas vou até o carro um minutinho — e saiu sem esperar resposta.

Um silêncio se fez entre os dois. De vez em quando se ouvia o assovio de um pássaro ou o barulho de algum animal rastejante. Era a chance de Ioná. Se o tio soubesse algo sobre o oratório, falaria agora.

— Tio... existe um motivo a mais para eu estar aqui — mentiria mais uma vez, mas não havia outro jeito. — A tia me falou sobre o oratório onde a pequena Ioná foi batizada, o que tem a letra dos antigos.

O detalhe era por conta dela, mas julgou que seria uma forma de se aproximar do velho. Se ele sabia de algo, iria falar. O velho olhou para os lados. Não havia sinal de Ana.

— Falou, é? Era o costume da família, desde os primeiros. Ficava na capela da santa nossa padroeira, onde oramos ao pai único.

Falava enquanto se aproximavam da pequena construção. Com as mãos levemente levantadas, balançou o tronco por alguns segundos, quase encostando a cabeça na parede descascada.

Ioná não podia acreditar no que via. Qualquer pessoa poderia tomar o movimento como um entrave da velhice, um sinal de que o tio sofria do mal de Parkinson. Mas não ela. Aquilo era uma reverência durante a oração. Era assim que os judeus faziam quando rezavam nas sinagogas ou no Muro da Lamentações. Ele prosseguiu a fala:

— Em frente ao oratório ganhamos nome e nos casamos. Sempre com um dos nossos. Como os pais, avós, bisavós e tataravós. Hoje tudo se perdeu. Os mais velhos abençoavam os mais novos. A tia mais antiga amarrava a mão direita da noiva e do noivo com um pano de linho.

— O senhor viu muitas destas festas? — Ioná interrompeu as lembranças.

— Foi assim no meu casamento com uma prima segunda — ele respondeu com olhar saudoso de um tempo há muito enterrado. Era como se aquela menina, que trazia os olhos de tantas gerações, tivesse forçado uma porta emperrada do passado. As imagens fluíam. Continuou. — Depois o pano era lavado e guardado para a próxima cerimônia. Só então o casal recebia a bênção na paróquia mais próxima. Quando não dava para os noivos virem à capela, o oratório era levado de carroça. Nos batizados também era assim. A criança fazia uma semana — eles diziam que era para ter certeza que vingou —, aí ela ganhava nome, em frente ao oratório... passados uns três dias, era levada para a Igreja e mergulhada na pia batismal.

As palavras invadiam a mente de Ioná à medida que eram lançadas como pequenos dardos a cutucar a memória. Tudo que ela tinha lido sobre os judeus secretos em Portugal ganhava forma naquele cenário sertanejo. Casavam-se primeiro na verdadeira religião — como se referiam à Lei velha, a Lei de Moisés, só depois na outra — o catolicismo, a Lei nova.

Havia relatos das cerimônias de apalavramento, onde se fazia uma espécie de Ketubá — a certidão do casamento religioso dos judeus —, um dos documentos que os rabinos exigiam para provar a ascendência. Só que, no caso dos conversos, era uma Ketubá oral. Os nomes não eram registrados em papel para não denunciarem a união de judaizantes. Os pais do noivo iam à casa dos pais da noiva e pediam a mão dela para o filho. Neste momento se dizia o nome dos pais, confirmando que pertenciam a tal família, geralmente aparentados. Uma semana depois, jejuavam noivo e noiva, separadamente, e depois se dava a cerimônia do casamento.

Ela tinha vontade de perguntar tantas coisas, de contar de onde vinha aquela tradição, mas, ao mesmo tempo, lembrava-se do que tinha ocorrido com os descendentes dos conversos em Portugal, quando lhes foi dito que o judaísmo deles não era tão puro como o dos homens de preto com cachinhos em volta da orelha.

Para os marranos, o fim da Inquisição significou o fim das fogueiras, mas não da perseguição. Para serem reconhecidos como judeus tinham que ser convertidos. Essa era a luta de Ioná, a causa da sua revolta. Olhando para o tio se perguntava: a que teria que renunciar para ser considerado um judeu? Negar que adorava um Deus único? Que se casara com alguém de mesmo sangue para manter a tradição da família? Que não se ajoelhava em frente à imagem de pau ou pedra do Cristo crucificado?

Os pensamentos de Ioná a levavam para longe dali. Pertenciam a uma esfera que ela mesma queria evitar. O que importava era a realidade que se abria à sua frente. O tio percebeu que ela estava distante e tomou aquilo como hora de encerrar o assunto.

— Mas isso era muito antigamente. Agora a juventude não quer mais nada com a família. Os filhos foram para a cidade, atrás do progresso, e os netos nem sabem que isso aqui existe. A fazenda da Estrela, a maior da região, virou esse mato sem cria.

Fez um giro de 360 graus, com os braços, enquanto terminava a fala. Mas para Ioná era o ponto de partida. A decepção por não ter encontrado a tia-avó viva se transformara em uma enorme admiração pela astúcia da velha senhora. Agora só restava tio Elias. E a tia mandara o recado através da foto e daquele último — e não mais estranho — pedido. E pensar que ela quase aceitara a ideia de dona Mocinha ir ao sítio no seu lugar para rezar no túmulo da menina. Mas nada disso tinha acontecido e ela é quem estava ali. Era preciso deixar de lado o mundo das hipóteses e fixar-se no presente.

— Tio — disse olhando-o de frente, com firmeza. — Eu prezo a família. Eu quero saber estas coisas. O que aconteceu com o oratório?

Ele baixou o rosto e deu um longo suspiro antes de responder. Apontou para a cova coberta com grama por cortar.

— Conforme a tradição, as Ionás são as guardiãs... — e subiu os olhos para encará-la com uma interrogação estampada no rosto.

Ioná passou a mão pela testa, pensativa. Ou o tio realmente não sabia de nada ou simulava muito bem. Olhou à volta. Lá estava a jornalista sentada no capô. Depois virou para o tio, que parecia mais uma vez em transe, movendo a cabeça para a frente e para trás. Os dois ficaram em silêncio, fitando, aparentemente, o vazio.

26

Minutos antes...

Ana passou pelo mato com passos rápidos. As meias enfiadas dentro da bota evitavam qualquer contato com galhos e eventuais bichos sobre os quais ela não queria nem pensar. Entrou no carro e pegou uma maçã. Depois tomou água. Checou a máquina fotográfica. Por sorte lembrara de colocá-la na bolsa na noite anterior. Pôs o filme.

Sentou-se no capô da caminhonete — uma Toyota azul-clara — e ficou observando o estranho par. As costas curvadas do velhinho lembravam a corcunda de um camelo. Devia ter sido um homem alto, pois mesmo encurvado batia no ombro de Ioná, que tinha mais de 1,70 m de altura. A ansiedade não a deixava pensar em outra coisa. O oratório tinha que estar por ali, em algum lugar. Pensou em revistar a casa do velho enquanto os dois conversavam, mas o focinho preto deitado próximo à porta mostrava que isso não era uma boa ideia.

Também a intrigava a capela. Por que a corrente e o cadeado se não vinha ninguém por ali? A própria casa parecia não ter trinco na porta. Por que Ioná não a chamava? Não mandava um sinal? Já tinha quase meia hora que ela deixara a moça junto com o tio. Olhou mais uma vez. Os dois estavam em silêncio. Pulou do capô.

— Já chega! — falou em voz alta. — Vou até lá!

Pendurou a máquina no pescoço, escondida sob a parca bege, e atravessou o capim alto correndo. Daria um jeito de tirar fotos da capela e do túmulo para mostrar a Pedro quando voltasse a São Paulo.

Ioná teve um mau presságio quando viu Ana se aproximar. Tio Elias estava de frente para ela e de costas para a cena. No meio do caminho, Ana parou na porta da capela. Soltou a corrente e abriu a grade. Olhou mais uma vez em direção a Ioná e entrou. Foi tudo rápido demais. Quando a médica deu por si, a tensão estampada em cada músculo do rosto, o velho tinha se virado.

— Ei! — gritou, enfurecido. — E correu em direção à capela com Ioná no seu encalço.

27

Ana já estava dentro da capela quando ouviu o grito. Sacou a máquina e disparou cliques para todos os lados. Não havia bancos nem cadeiras. Um vitral grande, ao fundo, tornava o ambiente claro. Feixes de luz incidiam através do vidro quebrado sobre a imagem de uma santa que estava em um pedestal de madeira e carregava um bebê no colo. Seria o menino Jesus? A imagem era familiar. Forçou a memória. Teria sido em alguma igreja de Salvador? Ou quem sabe Ouro Preto? Não era a Virgem Maria nem sua mãe, Sant'Ana, padroeira do Caicó e de tantas outras cidades do Seridó. Nariz afilado, maçãs altas, madeixas negras escapando do véu sobre os cabelos. O que chamava a atenção eram os detalhes da veste azul. Também havia algo escrito em uma das paredes e entalhes nas vigas de madeira. Deu um último clique, mais aberto, para ter uma geral da capela. Fechou o casaco sobre a máquina e afastou-se da porta. O velhinho se aproximava, com passos rápidos, balançando o cajado como se fosse um facão. Ioná vinha logo atrás, tentando acalmar o tio.

— Saia daí, sua bisbilhoteira! — A voz rude em nada lembrava o doce ancião que as recebera de braços abertos. O velho passou a corrente na grade e fechou o cadeado.

— Desculpe, seu Elias! — falou sem conseguir conter a empolgação.

Subitamente lhe veio à cabeça o retrato pintado na parede da sala da casa de tia Ioná. Era ela: santa Abigail. Só que ali estava de corpo inteiro! Além da criança, havia a borda do manto que cobria a imagem — detalhes que o quadro em close não mostrava.

— É a capela de santa Abigail! — exclamou olhando para Ioná, que estava perdida entre acalmar o tio e compreender o rompante. — É a santa de devoção de tia Ioná.

O velho parou e se curvou mais ainda. Não queria mais conversa. Estava na hora de as duas pegarem a estrada se quisessem evitar chuva no caminho. Disse a Ioná que continuaria a cuidar do túmulo como se fosse de sua própria filha. Depois chamou o cachorro e as enxotou para dentro do carro. Não havia o que fazer. O velho não diria mais nada.

Parte 2

Quatro dias depois...

28

São Paulo,
21 de março de 2000

O céu cinzento e fechado anunciava uma aterrissagem turbulenta na capital paulista. Pelo menos chegariam a Congonhas, pensou Ana. Se o trânsito ajudasse, estariam em casa no máximo em vinte minutos. Ioná apertava as mãos contra a fivela do cinto. Os olhos cerrados tremiam involuntariamente. Era óbvio que ela não estava dormindo. Conversaram pouco durante o voo. Os últimos dias foram cheios de descobertas que só trouxeram mais perguntas do que respostas.

Deixaram o sítio da Estrela depois da despedida nada calorosa do tio. Ana apalpou o bolso da parca pela milésima vez. O filme estava lá. Lembrava-se de ter disparado o dedo na máquina, como se fosse um gatilho, ao ouvir o grito do velho. Focar e clicar. Focar e clicar. Eram tantas as informações a registrar pelo quadrado minúsculo do visor que o todo se apagou em sua mente. Fez um rabisco, ainda no carro, para fixar o que tinha visto, mas os detalhes se perderam. Levaria o material para revelar ainda naquele dia. Torcia para que a frase pintada na parede esquerda estivesse legível. Das letras meio apagadas distinguira as palavras "semente" e "descendência". Mas a pressa fora tanta que não tivera tempo de fixar o trecho.

A volta para Córrego também foi tensa. Foram pegas por uma pancada de chuva que enlameou a estrada e tornou a viagem ainda mais lenta. Ioná não conseguia se concentrar em nada além da conversa com o tio — que ela relatou minuciosamente, como se, dessa forma, a estivesse recontando a si mesma — e a reação dele à entrada de Ana na capela. Elucubraram sobre o que haveria ali de tão secreto. O oratório? Mas onde? Talvez as fotos dessem alguma pista. Depois que o carro derrapou e desceu de lado por uns 5 metros, Ana achou melhor pegar a direção. Chegaram a Córrego exaustas e loucas por um banho. No dia seguinte partiriam cedo para Recife. Ana pensara em telefonar para Pedro, mas, certamente, àquela hora, não haveria resposta. Precisava conversar com alguém de fora, que não estivesse envolvido. Tudo que presenciara nesta última semana a colocava mais como personagem do que espectadora da história. Por isso precisava de uma análise fria dos fatos. Não havia ninguém melhor do que o genealogista.

Os pensamentos foram atravessados pelo aviso do comandante de que a aterrissagem atrasaria de dez a 15 minutos devido ao grande movimento nas pistas de Congonhas. Nenhuma novidade. Ioná abriu os olhos e tornou a fechá-los em seguida. Ana estava com o rosto virado, apoiado na janela. Há dias não dormia direito. Estava com saudades de casa e de Ilaga. Mas nada indicava que teria a tranquilidade de que precisava naquele momento.

Durante a volta à capital pernambucana havia convencido Ioná a ir com ela para São Paulo. Estaria no maior centro judaico do país. Poderia contatar rabinos e estudiosos. Ficaria na casa de Ana, portanto não teria despesas com alimentação e hospedagem.

Ioná tinha economias guardadas e não mudaria nada em sua vida ficar uma ou duas semanas fora. Mas o que realmente a fez tomar a decisão foi uma revelação de sua mãe, Margarida. E que ela só contaria a Ana mais tarde.

A parada para o almoço em João Pessoa se transformara no momento mais emocionante da vida da médica. As sensações que aquela revelação despertaram eram fortes demais para serem divididas. Enquanto Ana se divertia com os sobrinhos de Ioná na sala, esta conversava a portas fechadas, no quarto, com a mãe.

A médica falou sobre a chegada tardia em Córrego, o enterro e o pedido da tia para que rezasse pela filha morta. Contou da ida ao sítio da Estrela e o encontro com tio Elias, sem detalhes sobre a fotografia do batizado, o oratório, a capela e a saída às pressas. Perguntou apenas se a mãe já ouvira falar de santa Abigail.

— A Nossa Senhora do Bom Parto?! É a santa protetora dos nascimentos!

Ioná ficou branca. A voz saiu engasgada.

— Nossa Senhora do Bom Parto? Mas a senhora nunca me falou sobre ela!

— Você nunca perguntou, por que eu haveria de falar? Tá aqui na minha mesinha... protegendo vocês todos — e apontou a imagem.

Mais uma vez os sinais estavam lá. Sentiu vergonha por ter subestimado todos à sua volta. A tia, os primos e, agora, a mãe, que ela amava e respeitava muito mais do que o simplesmente esperado de uma boa filha. Sempre foram amigas. Mas em nenhum momento, principalmente neste último ano, haviam conversado de verdade. Ioná tinha se fechado em uma busca egoísta e fora perdendo sua verdadeira essência. A mãe sentia o afastamento e respeitava o limite imposto pela filha.

— Mãe — falou ela com a voz embargada —, me perdoe! Eu tenho sido uma péssima filha... eu amo a senhora demais.

A resposta da mãe veio com um abraço que passou por cima das lágrimas.

— Ioná, deixe disto! Você é uma excelente filha e sempre foi. Foi muito bonito de sua parte ir até o sítio de tio Elias rezar pela prima. Depois da morte dela não houve mais batizado nem casamento na capela. Aquilo lá ficou largado.

— A senhora conheceu a capela do sítio? — Ioná engoliu seco.

— Mas é claro! Nós fomos batizados lá, eu, seus tios, os primos. Minha mãe contava que era quase um dia de viagem de carroça... mas era o costume da nossa família. Lá se dava o nome à criança sob a proteção da santa. Depois é que acontecia a cerimônia na igreja de Córrego.

A cabeça de Ioná rodava. Por que a mãe nunca lhe contara essa história? Relembrou as vezes em que conversaram sobre a família. A mãe ficara órfã aos 12 anos e fora criada pelos avós paternos na capital, bem longe dos parentes de Córrego, onde nascera. Por isso Ioná nunca se aprofundara na infância dela. Só queria saber das superstições e costumes apreendidos. Agora esse passado vinha à tona como se tivessem aberto a caixa de Pandora.

— E tinha um oratório na capela? — perguntou a filha.

A mãe ficou alguns segundos em silêncio.

— Oratório...? — a resposta saiu titubeante.

Ioná estranhou a reação e resolveu contar sobre a foto que a tia havia pedido que fosse entregue a ela. A mãe se aproximou e segurou as mãos da filha.

— Existe algo que preciso lhe dizer... e que talvez explique o pedido da tia e a foto. Quando você me perguntava o porquê do seu nome, eu nunca menti. Era o nome da minha avó que minha mãe tanto adorava, e também o nome da irmã preferida dela... mas havia uma razão a mais. Quando a prima morreu aos 5 anos, a filha única de tia Ioná, eu tinha 7 para 8 anos. A tia caiu em depressão. Não podia ter mais filhos. Ventre fraco... não segurava barriga. Mamãe não cabia de desolação. Não sabia o que fazer pela irmã. Até que alguns dias depois ela me levou à casa da tia e me fez fazer uma promessa. A minha primeira filha se chamaria Ioná e quando ela nascesse a tia seria avisada imediatamente.

Os olhos das duas se encontraram em meio a novo silêncio. Estavam molhados. Ioná não se lembrava de uma conversa tão intensa com a mãe. Ela continuou.

— Minha mãe morreu quatro anos depois e vim para a casa dos avós paternos em João Pessoa. Conheci seu pai, primo distante, casamos e vieram os filhos. A cada gravidez eu me lembrava da promessa, mas só vinham meninos... Ivan, depois Irineu.... aí perdi os gêmeos... depois Ivo, e perdi mais uma criança, também menino. Já havia desistido de uma menina quando, aos 38 anos, engravidei de você. Rezei muito para a Nossa Senhora do Bom Parto, a santa Abigail que protege as mulheres de nossa família. E você nasceu nove meses depois, pequenina mas saudável!

— E a tia? Você avisou a ela? — Ioná não conseguia controlar a ansiedade.

— Foi a primeira pessoa que eu avisei. Mandei notícias durante toda a gravidez. Quando você nasceu, pedi a seu pai que passasse um telegrama imediatamente. Três dias depois tia Ioná estava aqui... e trouxe junto o oratório.

Ioná mordia o canto do lábio inferior enquanto escutava atentamente o relato sobre os dias seguintes ao seu nascimento. Era estranho ouvir aquela história 24 anos depois. Fluía com tantos detalhes e tamanha vivacidade que ela se perguntou se a mãe não estaria tirando um peso da memória.

Ioná nasceu em uma noite abafada de janeiro de 1976. Ou melhor, escorregou. Foi o que disse o médico que a recebeu para o mundo naquele 23 de janeiro. No outro dia a mãe já estava instalada em casa, com o bercinho da criança grudado à cama. Não era hábito na família comemorar o nascimento dos bebês de sexo feminino, mas, naquele caso específico, nunca se agradeceu tanto a boa graça de uma menina. Como aconteceu com os irmãos, o nome escolhido só foi pronunciado depois do nascimento. Também se evitavam presentes ou enfeites no quarto antes da chegada do bebê. Trazia mau agouro, diziam. Por isso, quando o médico mostrou o ser minúsculo e rosado, com pouco mais de dois quilos, a cabeça pelada e pontuda como um ovo — denunciando o parto normal — e uma boca que aberta ocupava praticamente todo o rosto, a mãe falou: "Seja bem-vinda, Ioná!"

O pai Isaías, que tinha escolhido o nome dos irmãos — Ivan, Irineu e Ivo, aprovou. Todos os filhos levavam a sua letra inicial. Havia pensado em Celeste, nome da própria mãe. Mas ela ainda estava viva e não era bom dar nome de parente vivo às crianças. E Margarida estava tão feliz com a vinda de uma menina que ele não tinha por que discordar. Havia também a tia de mesmo nome, a quem avisou do nascimento poucas horas depois de a criança chegar.

Ioná ouvia sem interromper. Deixou a mãe falar sem direcionar a conversa, como de hábito. O nome do pai nunca era mencionado. Uma figura que se restringia ao homem de terno vincado e olhar confiante, ao lado da mãe, na única foto dele na casa, a do dia do casamento. Para onde tinha ido aquela força toda? As lembranças dela se resumiam a uma tarde ensolarada em uma praia de água morna, onde braços musculosos e peludos a jogavam para cima e estavam a postos quando ela emergia da água com os cabelos cobrindo os olhos e a boca salgada.

Ioná escutava em meio às próprias divagações. Não percebeu quando a mãe levantou e abriu uma das gavetas da cômoda. Sob a pilha de blusas bem passadas descansava um saquinho de pano verde, amarrado com uma fita de cetim branco. Trouxe o pacote para perto da filha. Soltou o laço e virou o conteúdo. Pontas de cabelos bem finos e cuidadosamente amarradas com pedaços de durex se misturavam a dentes de leite, cartões de aniversários e medalhas da época do ginásio. E também as cópias dos diplomas dos filhos. Espalhados, como os retalhos da colcha colorida que cobria a cama, estavam os momentos que a mãe guardara em 63 anos de vida.

Como um mágico que tira da cartola o coelho, a mãe puxou um envelope amarelado pelos anos e o entregou à filha. Ioná abriu e lá estava um bebê no colo de uma senhora. No fundo, o mesmo oratório da fotografia que a tia lhe deixara. Também em preto e branco. Só que bem mais nítido e menos apagado pelo tempo. Virou o papel e leu em voz alta:

— "Ioná Mendes de Brito Cunha Medeiros. Batizada em oratório da família. 30 de janeiro de 1976."

Mais abaixo, escrito com lápis em um dos cantos do papel, estava anotado: "Foi testemunha sua tia-avó Ioná Mendes de Brito Fernandes."

— Sou eu. Com tia Ioná.

Aquilo estivera ali por toda a sua vida. Até o sobrenome Mendes de Brito, que não constava em sua certidão de nascimento. A mãe pareceu ler os pensamentos da filha.

— Seu pai achava que o nome ia ficar muito grande... e depois você iria casar e passar só o Medeiros para os filhos! Eu ia dizer o quê?

Ioná tornou a olhar a foto. Ato que repetiria por muitas vezes dali para a frente, quando as dúvidas surgissem e ela quisesse simplesmente desistir de tudo. As palavras fugiam e ela não conseguia expressar o que sentia.

— Mãe, por que você nunca me falou sobre isso? — a voz saiu como um fio.

— Porque era vontade da tia. Minha mãe dizia que não se brincava com a palavra da tia Ioná. Ela me fez prometer que nunca tocaria no assunto com ninguém... nem com seu pai. Coisa nossa, dizia, das mulheres da família. Um dia você ia saber o que era de direito saber e passaria a seus filhos.

Eram as mesmas palavras que a tia-avó dissera a Ioná quando ela deixou Córrego, há quase um ano, carregada de perguntas. Com a morte dela fechava-se a porta.

— O que é que eu tinha de saber? — Ioná desabafou, mais para si mesma do que para a mãe.

— Coisa dos antigos, a tia dizia, passada para as Ionás — a mãe baixou o rosto e segurou um curto soluço. — Me desculpe, filha! Eu não sabia que isso era tão importante. No fundo, sempre achei que era superstição de gente velha. Eu vim muito cedo para a capital... e vocês já nasceram em outro tempo!

Ioná abraçou a mãe e enxugou a lágrima que escorria pelo canto do olho. A última coisa que queria era que aquela mulher que admirava tanto, ainda mais agora, se sentisse culpada. Se alguém havia falhado, esse alguém era ela própria. A mãe continuou.

— Eu cheguei a visitar a tia duas ou três vezes, com você ainda pequena. Aí seu pai se foi e as coisas mudaram. O Ivan e o Irineu ajudavam como podiam. Eram crescidos mas estavam começando a vida. E tinha você e o Ivo ainda pequenos. Eu arranjei emprego na fábrica. No fim de semana fazia costuras. Córrego foi ficando para trás.

Margarida deixou a história adormecer. Não tinha notícias da tia e a vida na cidade, com quatro filhos para criar, estava muito distante daquela gente do sítio. Passaram-se mais de quinze anos até que ela ouvisse novamente a voz da irmã mais velha de sua mãe. Em um telefonema a cobrar, há dois anos, a tia retomara o contato. Perguntou por Ioná. A mãe contou orgulhosa que a filha cursava a faculdade de medicina no Recife e que se formaria em breve. Tinha namorado firme, mas casamento e filhos ainda estavam bem longe. Era da família? A tia quis saber. A mãe respondeu que os tempos eram outros. Era um bom rapaz. Desligou prometendo ligar mais vezes e que a sobrinha mantivesse o pacto de duas décadas atrás.

E assim foi durante o ano todo. A tia ligava uma vez por mês. Margarida se comprometia a visitá-la. Mas sempre empurrava para a frente. Fosse pelas costuras a entregar, ou os netos de que tinha que cuidar. Ioná sentiu que a voz da mãe falhava, como se algo a ser dito parasse na ponta da língua e voltasse.

Uma tensão tomou o quarto por longos segundos, que lembravam a Ioná os momentos que antecediam a entrada no centro cirúrgico. Podia ser a remoção de um nódulo de gordura ou uma pinta de bordas perfeitas nas costas. Em meio à conversa fiada dos médicos, à água escorrendo sobre mãos cobertas de sabão, ela se perguntava: o que me espera? Por mais simples e corriqueira que fosse uma intervenção cirúrgica, sempre poderia haver algo mais. Nada lhe escapava. Um excesso de desconfiança que era confundido com autoconfiança e lhe colocava na linha de frente da turma. Agora se sentia em um destes momentos.

— O que foi? — Encarou os olhos tão azuis quanto os seus, sem piscar.

A mãe encheu os pulmões e soltou o ar em um sopro pela boca.

— Sabe quando o primo, prefeito de Córrego, te ligou para oferecer os plantões?

Ioná fez que sim com a cabeça.

— Pois bem, ele realmente me procurou pedindo seu telefone no Recife... só que havia algo mais que não te contei.

A mãe continuou frente ao silêncio da filha.

— Você lembra quando esteve por aqui, cerca de um mês antes, logo depois de romper com Daniel?

Ioná balançou a cabeça positivamente, com uma leve irritação. O que quer que fosse, por que não contava logo?

— Pois a tia ligou em seguida. Você estava tão cabisbaixa, tão triste... eu não pude deixar de me abrir com ela. Tudo o que me afligia, que você tinha terminado um namoro de cinco anos e eu não sabia por que e nem como ajudar.

— E então? — Ioná atravessou a mãe.

— Então, duas semanas depois o primo ligou. A mando da tia. Eu disse que você estava em greve e ele achou ótimo, pois tinha um emprego para te oferecer... mas que eu nunca comentasse nada, pois era bem capaz de você não aceitar por causa do orgulho dos Mendes de Brito! Disse que a tia queria muito que você fosse, e pedido dela, para ele, era pedido de mãe!

Ioná mergulhou o rosto nas mãos. Aquilo era demais para ela. Agora entendia o salário tão bom para um trabalho sem maiores requisitos. Uma proposta que tinha caído do céu no momento em que ela mais precisava ficar longe de Recife. Olhando para trás, o primo poderia ter conseguido um médico experiente. Ela nunca havia pensado nisso. Por que ela? Ou será que não havia pensado propositadamente?

Ioná não se perdoava por ter sido tão arrogante. Subestimara a família. Nunca havia falado com a mãe sobre a verdadeira razão da separação. Ela nem sabia que Daniel era judeu. Havia inventado mentiras vagas, a mais convincente delas que ele ganhara uma bolsa para estudar na Alemanha e seria difícil manter um compromisso com um oceano entre os dois. Se tivesse falado a verdade sobre as dúvidas e a não aceitação da família dele, talvez a situação fosse outra; mas Ioná evitava as conversas sobre religião com a mãe. Camuflava os questionamentos com infindáveis perguntas sobre os costumes dos parentes. O mesmo tinha feito com a tia. Se tivesse sido verdadeira, tia Ioná teria confiado nela e talvez as respostas que ela tanto procurava lhe fossem dadas como um presente do destino.

O avião atravessou uma nuvem e sentiu-se uma leve turbulência. Ioná mantinha os olhos fechados — as mãos tensas apertavam o braço da poltrona — enquanto repassava o encontro com a mãe. Lembrou-se também da busca que fizera na casa da tia-avó, ainda em Córrego, depois de voltarem do sítio.

Enquanto Ana tomava uma chuveirada, Ioná saiu para se despedir de dona Mocinha. Mas fez uma parada no caminho. Não foi difícil forçar uma das janelas e invadir a casa da tia-avó. O trinco de madeira cedeu facilmente quando Ioná o levantou com um arame.

A casa tinha quatro cômodos. Todos, com exceção do banheiro, separados por cortinas de pano. Começou pela sala. Não havia armários nem sofá com altura suficiente para esconder a peça por baixo. Procurou por nichos secretos no chão e na parede. Retirou o quadro pintado, em cores fortes, da santa Abigail. Nada. Apenas as marcas da moldura na superfície porosa. O emboço irregular — caiado de branco — e o cimento amarronzado pela terra não apresentavam falhas que não fossem as rachaduras causadas pelos anos. Revistou os outros três minúsculos espaços. Sem sucesso. Na cozinha, um fogão a lenha de ferro fundido descansava ao lado de um armário improvisado com três tábuas de obra, dispostas sobre tijolos, formando prateleiras. Uma cortina, semelhante à usada na divisão entre os cômodos, protegia a pouca louça da poeira. Ioná ergueu o pano só por desencargo de consciência. Três panelas e duas frigideiras pendiam de pregos presos à parede, sustentadas por ganchos improvisados de arame. Uma geladeira velha e uma mesa colada à janela, com dois banquinhos embaixo, compunham o resto do ambiente.

Ioná evitava tocar nos objetos. A fruteira de plástico estampada com bananas e laranjas trazia um pálido colorido à cozinha, escurecida pela fuligem das brasas que um dia arderam sob a chapa de ferro. A velha chaminé dava sinais de que precisava se aposentar. Levantou o cesto de palha com pedaços de madeira na expectativa de achar um alçapão. Colocou de volta no lugar. A busca era em vão. Restava o quarto. Com menos de dez passos chegou ao recinto. Abriu cuidadosamente as gavetas da cômoda e tateou o fundo. Se espantou com a quantidade de lenços. Que outro luxo a velha senhora poderia se dar?, pensou enquanto acariciava os pedaços de tecido que mantinham a cabeça da tia-avó sempre coberta. Depois destrancou o armário. Quatro ou cinco vestidos pendurados, duas alpargatas e dois chinelos. Arrastou o móvel com cuidado. Os pés bambos pareciam prestes a desabar. Na parede lisa sobressaía apenas a mancha da madeira.

Deu uma última olhada na casa e saiu. Repetiu a operação da entrada, só que desta vez forçando o toco para baixo através de uma fresta mais larga da janela. Ouviu o baque da pequena peça. Estava tudo como antes. Desceu pela rua deserta, enlameada pela chuva fina, a caminho da casa de dona Mocinha.

No dia seguinte partiram cedo para Recife, sem nem tomar o café da manhã. Esperavam chegar em João Pessoa para o almoço. Durante a viagem Ioná e Ana refizeram todos os passos e analisaram as descobertas até aquele momento. Ioná confessou o pequeno delito. Invadira a casa da tia, mas não havia sinal do oratório por lá. A confissão foi o gancho para Ana propor a ida de Ioná a São Paulo. Teria mais acesso a pesquisas e também poderia encontrar com rabinos ortodoxos. Ana tinha bons contatos na comunidade.

Ioná ficou de pensar. Não estava bem certa se aquele era o momento ideal para conversar com os religiosos. Talvez voltasse ao sítio para tentar arrancar mais informações do tio. Mas o encontro com a mãe havia sido decisivo. A revelação sobre seu próprio nascimento não deixava dúvidas. A reivindicação dela era autêntica. O retorno ao judaísmo se tornara mais do que nunca uma questão de dívida com seu passado. Tia Ioná não estava mais ali, mas a descendência havia de continuar.

Abriu os olhos com o toque da aeromoça no ombro pedindo que levantasse a poltrona. Dentro de instantes aterrissariam na capital paulista.

29

Ainda no táxi, Ana escutou os latidos de Ilaga. Era incrível os cães poderem sentir os donos pelo faro em meio a tantos odores e à poluição da maior metrópole da América do Sul.

— Você gosta de cachorros? É o meu! — disse com um sorriso. Estava morrendo de saudades de casa.

Ioná respondeu com um sim, acompanhado de um levantar de ombros.

O apartamento de Ana ficava no bairro do Jardim Paulistano, perto de uma das avenidas de maior tráfego do continente, a Marginal Pinheiros. Quem apenas cruzava a via expressa não podia imaginar que poucos metros para dentro existiam ruas arborizadas onde casas dominavam a paisagem. Ana morava no último andar de um prédio de quatro pavimentos, em frente a uma praça. Se quisesse movimento era só andar 500 metros, à direita, e chegava à avenida Brigadeiro Faria Lima, endereço de um dos mais cobiçados paraísos de consumo da capital.

Deu uma rápida olhada à volta. Tinha saído de São Paulo há uma semana e parecia uma eternidade. Havia correspondência jogada sobre o aparador da sala, geladeira vazia, recados na secretária eletrônica e a caixa de e-mails estava entupida. No último dia em Recife, enquanto Ioná acertava com um colega do hospital a estada no apartamento durante os dias em que ela ficasse fora, Ana pensou em entrar num cyber café para checar as mensagens. Trocou o programa por um mergulho na praia. Não faria a menor diferença. Já o banho de água salgada, sim.

Ao mesmo tempo que sentia um cansaço brutal, existia uma força dentro dela que dizia que todos os aborrecimentos seriam banais frente ao horizonte que surgia à sua frente. Ela estava motivada. Cheia de planos, com vontade de viver, enfrentar obstáculos. Não havia mais desculpas para manter as cinzas da mãe em casa.

Foi a chave virar na fechadura e a bola de pelos voar sobre Ana. Soltou a mala e se ajoelhou para receber as lambidas no rosto. Poucos segundos que serviram para salpicar de urina o hall do apartamento.

— Ilaga, esta é a Ioná, vai ficar com a gente uns dias! — falou Ana com a voz melosa.

Ioná cumprimentou o cão com afagos na cabeça. Algo que ela realmente não entendia era a febre de tratar cachorro como gente. Verdadeira epidemia, poderia classificar. Seria mais um dos resquícios de sua genética interiorana? Ela era de um lugar em que cão era bicho e não criança de estimação. Olhou mais uma vez para o ser que pulava freneticamente em sua perna e bateu palminhas. Afinal, ela era uma mera convidada na casa dele.

Ana deu um abraço na empregada e agradeceu mil vezes por cuidar do "filho". Depois mostrou o apartamento. O pé-direito alto era típico das construções antigas. Tinha uma varanda fechada na sala e apenas um banheiro no fim do corredor. Ioná dormiria no escritório, o segundo quarto da casa. A cozinha, enorme, era a parte mais aconchegante. Ana se orgulhava em mostrá-la. Passava longas horas ali. Fosse preparando a receita de um amigo ou traduzindo um texto. No centro, uma mesa com tampo de mármore branco, pé de madeira e seis cadeiras em volta — também de madeira com encosto de palha — era a principal testemunha de sua existência. Aquela mesa presenciara desde sua primeira papinha até o último café da manhã de sua mãe. A única coisa que Ana quis manter. O resto foi dado ou vendido. Voltaram para a sala e Ana pegou um porta-retrato. A última fotografia das duas, tirada três semanas antes do acidente. Falou rapidamente sobre a perda. Foi a única vez que tocaram no assunto.

Os segundos seguintes de silêncio foram quebrados por Ioná. Será que Ana se importava se ela tomasse um banho? Também precisava carregar o celular. Não achou apropriado dizer, naquele momento, que tinha que ligar para a mãe e avisar que já estava em São Paulo.

Enquanto Ioná seguia para o quarto, Ana disparou o botão da secretária eletrônica e passou os olhos na correspondência. Aproximou-se do aparelho ao ouvir a voz de Pedro. Ele tinha novidades.

30

Tornara-se hábito ligar para Pedro Vilela e escutar os toques intermináveis do telefone indicando que ele não estava ou não queria atender. Desta vez foi diferente. No terceiro sinal uma voz surgiu do outro lado da linha. Ao som do alô, Ana respondeu um "cheguei" animado. Demorou alguns segundos para perceber que era uma gravação. O genealogista tinha finalmente aderido à secretária eletrônica ou seria o contrário?

— Não deixa de ser uma novidade! — pensou alto, lembrando-se do recado que escutara, minutos antes, em sua própria máquina.

Ana lhe deu as boas-vindas ao mundo do progresso e deixou a mensagem. Estava de volta e queria visitá-lo no dia seguinte. Contou que Ioná estava com ela mas não deu detalhes. As fotos da capela seriam uma surpresa. Fez mais uma ligação. Desta vez para um laboratório fotográfico no bairro de Higienópolis. Não podia — e não queria — arriscar a revelação do filme em qualquer lugar. Este era de confiança, desde os tempos da editora. Olhou o relógio. Precisavam correr se quisessem ver as fotos ainda naquele dia.

Chamou Ioná e saíram. A semana fora parecera um ano. Ana estava desacostumada com as buzinas, freadas bruscas, ultrapassagens pela direita, engarrafamento. Decididamente, ela odiava dirigir. O que era incompatível com a cidade de São Paulo. Descer a rua Gabriel Monteiro da Silva e depois enfrentar a avenida Rebouças, no horário do rush, era um verdadeiro exercício de paciência. Em menos de cinco minutos Ana xingara dois motoboys que furaram o sinal vermelho, um motorista que segurava o trânsito para fazer uma conversão proibida e uma caminhonete com o pisca-alerta ligado em fila dupla.

Ioná observava calada. A Ana bem-humorada que viajara quilômetros por estradas de terra esburacadas, sem acostamento ou sinalização, se transformara em monstro nos breves segundos de contato com a cidade dita civilizada. Ana pareceu ler seus pensamentos.

— Desculpe o ataque! É que eu não suporto a falta de consideração que as pessoas têm no trânsito. Um bando de egoístas! Quando você esteve em São Paulo não era assim, era? — entabular uma conversa amena seria a melhor saída para o caos que enfrentariam até caírem no túnel do Pacaembu.

— Eu só estive uma vez por aqui, há mais de dez anos — respondeu Ioná. — Um primo da minha mãe morava lá pelos lados de São Caetano. Minha mãe precisava fazer uns exames médicos, então viemos visitá-lo. Não sei se conta! Afinal, não era bem São Paulo e eu fiquei mesmo brincando com os primos.

— Então bem-vinda ao berço financeiro do país! A grande metrópole que gira nossa economia! — falou com ironia. — Tenho uma amiga que costuma dizer que, se você sobrevive a isso — e apontou para o engarrafamento —, você sobrevive a tudo!

Por mais que tentasse descontrair, Ana não conseguia conter a impaciência. As imagens da capela pincelavam sua mente. A cada momento detalhes diferentes lhe vinham à cabeça. Seria um chifre no entalhe da madeira? Já não sabia se era fruto da imaginação ou se realmente tinha visto sinais na velha construção. As fotos seriam esclarecedoras. Ou talvez mostrassem apenas a ação dos cupins e do tempo. Uma outra questão a intrigava. Desde que deixaram a casa de dona Margarida, em João Pessoa, Ioná estava diferente. Concordara de imediato com a viagem a São Paulo depois de ser tão reticente durante a primeira parte do trajeto. A empolgação sobre a aventura no sítio da Estrela, o mistério sobre o oratório e a santa também esfriaram. Subitamente os questionamentos cessaram e deram lugar a uma Ioná introspectiva e distante.

Ana respeitava o silêncio da outra, mas sentia algo no ar. Talvez fosse a expectativa do fim de uma busca tão impossível que era difícil acreditar que pudesse ter fim. O fato é que a vida de Ioná mudara em uma semana! Sete dias antes ela deixara uma carta para ser entregue a uma professora especialista em cristãos-novos expondo suas angústias. Hoje ela estava na cidade de São Paulo, na iminência de se reunir com religiosos e expor fatos concretos de uma história que uma desconhecida a estava ajudando a decifrar.

O trânsito deu uma aliviada na descida para o Pacaembu. Ana mostrou empolgada o estádio de mesmo nome — considerado a segunda casa dos corintianos — e perguntou se Ioná gostaria de assistir a um jogo. Ressaltou porém que torcia pela Ponte Preta. A médica respondeu com olhar de estranheza. Mais uma faceta da jornalista que a surpreendia. Futebol? A última coisa em que Ioná pensaria naquele momento! Cortaram pelas ruelas do bairro até caírem na avenida

Angélica, em Higienópolis. Em poucos segundos embicaram na porta do laboratório.

Ana deixou o filme com milhões de recomendações. Depois se arrependeu. Às vezes o excesso de cuidados levava a grandes danos. Melhor não pensar sobre isso. Já estava feito. Agora era esperar duas horas e torcer para as fotos estarem boas.

Ioná aguardava encostada à porta do carro. Um judeu ortodoxo atravessou a rua, com dois meninos sorridentes, um em cada mão. Os longos cachos encaracolados das crianças caíam pelas orelhas, bem mais compridos do que o resto do cabelo. Os dois usavam a quipá como o pai, segura por presilhas. No mais velho, longas franjas de tecido escorregavam por baixo da camiseta de personagem da Disney. Moletom e tênis completavam a indumentária. Eles pulavam pela calçada, simulando um jogo de amarelinha. O pai acompanhava a brincadeira e, às vezes, pulava com eles. Pareciam não notar — e se notaram não se importaram — o único olhar curioso que acompanhava fixamente o grupo.

— Sabe que eu nunca vi tantos judeus religiosos de uma só vez quanto nestes dez minutos em que estou aqui?! — falou Ioná ao ver Ana se aproximando. — Já passaram umas três famílias! Uma mulher jovem, de peruca, com cinco filhos... dois no carrinho! Devia ter menos de 30 anos! Outra com o marido e mais quatro crianças... e agora esses três! A única vez que vi judeus assim, ortodoxos, foi quando procurei os rabinos em Recife! Mas aqui é diferente! E ninguém fica olhando!

Ioná estava espantada com algo a que Ana já havia se acostumado em São Paulo. Nas últimas décadas crescera o número de ortodoxos na cidade, principalmente nos bairros de Higienópolis e Jardins. Era comum ver grupos de homens de preto, com longas barbas, chapéu e paletó, principalmente ao cair da noite. E as mulheres com perucas, saias compridas e meias-calças, mesmo no verão, carregadas de crianças. Nas sextas-feiras, famílias lotavam as ruas do bairro indo e voltando das sinagogas. A cidade tinha a maior comunidade judaica do Brasil, que ainda era bem pequena se comparada à população do país. O censo apontava menos de cem mil judeus em todo o território, a metade no estado. Mas quando Ana comentava a estatística com amigos não judeus eles não acreditavam e achavam o número baixo. O espanto crescia quando ela passava para os índices mundiais. A população judaica do planeta não chegava a vinte milhões! Era esse o povo que controlava um mundo que já entrara na casa dos bilhões de habitantes?

    Ana aproveitou as horas de espera pela revelação das fotos para fazer um curioso tour. Desceu a rua Alagoas e apontou à esquerda. Escondida atrás de um muro alto e chapiscado, com um portão de ferro maciço e uma única janela de vidro espelhado, estava a primeira das muitas sinagogas que Ioná veria no bairro e, mais tarde, em outras partes de São Paulo. Veria, em termos, porque apenas se imaginava o que havia atrás do paredão branco. Templos, escolas, clubes. As instituições judaicas proliferavam, sempre cercadas de segurança. Na rua Veiga Filho, Ana parou o carro em frente a uma construção majestosa.

— O terceiro templo, é assim que alguns amigos costumam se referir a ele... nunca entrei... é a sinagoga mais exuberante da cidade. Pois agora vou te mostrar o contraste.

O carro seguiu pela rua. Alguns metros além, Ana diminuiu a marcha e apontou uma padaria. A porta estreita, ao lado, levava ao segundo andar.

— Está vendo ali em cima? — Ioná acompanhou o movimento da mão de Ana. — Mais uma sinagoga! Não é incrível? Em cima da padaria, e bem menos suntuosa... cada uma com seus seguidores!

Ioná observava tudo sem falar. Era isso que ela queria. Poder entrar naqueles lugares sem ter que suportar olhares atravessados e um infindável rol de perguntas. Era a sua religião, e nada mais justo que pudesse compartilhar com os que a levavam tão a sério quanto ela. Mas logo o desânimo tomou conta. São Paulo provavelmente era igual a Recife. Era só multiplicar por vinte, trinta. Aqueles portões metálicos não se abririam facilmente para ela. Agora mais do que nunca precisava trazer à tona a memória de sua família que de tão preservada quase se perdera. Havia uma dívida com os antepassados, quem quer que tivessem sido. Era por causa deles que ela chegara ali. Como se a faísca que acendera todos aqueles questionamentos fizesse parte do DNA.

Ana olhou o relógio. O tempo custava a passar. Melhor seria parar e comer algo. Seguiu para um pequeno restaurante — que também funcionava como lanchonete e delicatéssen — na alameda Barros. Era bem simples, com mesas de fórmica e toalhas de papel. Sentaram na varanda. Uma surpresa para Ioná, era um restaurante kosher. Da comida... ao atendimento.

Atrás do caixa uma mulher nos seus 50 anos, de óculos e lenço sobre os cabelos curtos, fez sinal para um jovem de barba longa, e quipá, que lhes entregou o cardápio. Ana fez o pedido enquanto Ioná folheava as páginas plastificadas como se fosse o livro sagrado.

Aquilo tudo era novo para ela. Nos últimos meses estivera tão envolvida com pesquisas sobre a religião judaica, genealogias das famílias nordestinas e tradições do Sertão que se esquecera do mundo da rua. Daniel e a família foram o único contato que tivera com judeus de carne e osso. Só que eram laicos, dos que jejuavam no Yom Kippur mas não resistiam a uma bela moqueca de camarão e frutos do mar.

De novo Daniel. Tornava-se cada vez mais difícil não pensar nele. Momentos, descobertas que ela queria compartilhar. Coisas simples como o gosto dos bolinhos de grão-de-bico fritos que ele comera vinte dias seguidos em Israel e agora ela finalmente experimentava. Será que ele sentia falta desta intimidade das coisas simples, como ela sentia?

As divagações levaram Ioná para bem longe dali. Uma tarde na praia dos Carneiros, deserta, há pouco mais de duas semanas. O reencontro casual em uma rua do Recife acabou na areia branca e no mar transparente. Precisavam estar juntos, a sós, sem explicações ou desculpas. Queriam apenas se tocar, os hormônios bombardeando em todas as direções, uma enxurrada de sentimentos que afogavam o mínimo traço de razão. Sabia que as consequências seriam dolorosas, que aquele amor pelo qual ela tanto ansiava a sufocaria horas depois quando se despedissem. O que ela ainda não sabia é que as consequências fugiriam ao seu controle.

— Ioná?... Ioná? — A voz de Ana resgatou a médica. — Quer mais alguma coisa? Vou pedir a conta.

Ioná balançou a cabeça em negativa. A jornalista olhou o relógio. Estavam atrasadas, o laboratório fecharia em meia hora. Pagaram e saíram apressadas.

Os sinais abertos ajudaram e em poucos minutos estavam em frente ao balcão. As duas se entreolharam quando o rapaz se aproximou com dois envelopes verdes. Mais por costume que por prevenção, Ana havia pedido duas cópias. Puxaram as fotos. A curiosidade de Ioná era tanta que o bolo caiu no chão. Já Ana, no rápido passar dos olhos, percebeu que aquelas imagens eram bem mais do que ela esperava encontrar. Com certeza estavam armazenadas em algum cubículo minúsculo do cérebro, afinal eram recortes da sua visão. Mas nem nos momentos mais iluminados das lembranças daquela aventura Ana tivera um décimo daqueles flashes. Pôs as fotos de volta no envelope.

— Melhor a gente ver em casa — disse enquanto entregava o cartão de crédito.

Ioná concordou, sem pestanejar. Além das fotografias, carregava uma preocupação. Qual seria a reação de Ana quando ela contasse a história recém-descoberta na conversa com a mãe? Será que a perdoaria por não ter confiado nela de imediato? Respostas que só teria se deixasse as suposições de lado e se abrisse com Ana. Faria isso ainda naquela noite.

31

Pedro chegou em casa duas horas depois de Ana deixar a mensagem. Era bom ouvir a voz dela novamente, tão perto. Não queria admitir, mas a compra da secretária eletrônica tinha muito a ver com Ana. Ficara preocupado com a amiga longe, no meio do nada. Se ela quisesse falar com ele, pelo menos saberia onde ela estava e ligaria para o celular. O primeiro recado trazia a boa notícia de que ela estava de volta e queria visitá-lo! Puxou o fone para ligar quando viu que a máquina continuava a piscar. Havia mais uma mensagem. Desta vez, as notícias não eram nada boas.

— "Um recado para o doutor Pedro Vilela. Aqui é a Dirce, a Dircinha, Pedro, que trabalha na casa da sua mãe... (silêncio) é que ela passou mal do coração e estamos na clínica São José, no Rio. O número é..."

Pedro puxou um bloco do nicho ao lado do aparelho e anotou rapidamente. Para a empregada da mãe ligar, é que havia muito mais do que um simples passar mal. Dona Eulália morava em Friburgo, região serrana do Rio de Janeiro. Mas estava internada a 130 quilômetros de lá, na capital. Há muitos anos o contato deles se limitava a um ou dois telefonemas por mês. A última vez que se viram fora há dois anos, quando Pedro compareceu a um evento na cidade da mãe.

Pegou o fone e discou. Ouviu pacientemente as opções arrastadas pela voz metálica — decididamente odiava esses ditos avanços da modernidade. Era tão mais fácil quando éramos atendidos diretamente por um alô humano, pensou. Aguardou até chegar à recepcionista e deu o nome da mãe. A ligação foi transferida para o CTI. Logo em seguida a irmã mais velha estava na linha. Além de Olívia havia mais um irmão, Paulo, que também não estava lá. Sentiu saudades do pai, o único elo que um dia o ligara àquela família. Quando ele morreu, há mais de vinte anos, a corrente se rompeu e Pedro se foi. Não sentia remorso, nem culpa. A vida era troca. E essa palavra não existia no dicionário deles.

A conversa com a irmã foi mais um monólogo que ele interrompia com grunhidos quando ela perguntava se ele continuava na linha. A mãe passara mal em Friburgo, na semana passada. A irmã achou melhor trazê-la para uma batelada de exames no Rio — afinal, o plano de saúde cobria! A princípio tudo parecia bem e a mãe estava de malas prontas para voltar a Friburgo. Mas veio o enjoo logo após o café da manhã e em poucos minutos ela estava enfartando. A ambulância chegou a tempo, mas o médico achou melhor que avisassem o resto da família. As perspectivas não eram boas. Pedro sentiu vontade de perguntar se a mãe estava à beira da morte, que a irmã parasse de enrolar e dissesse logo se ele precisava voar para o aeroporto a tempo da última ponte aérea para o Rio. Mas isso geraria um sem-fim de repreensões sobre a frieza e falta de sensibilidade dele. Achou melhor que ela tomasse a iniciativa.

— Bom, Pedro. Vou ser direta. É melhor você vir. Já avisei o Paulinho. Não sei se mamãe aguenta até amanhã.

Pedro desligou. Só deu tempo de pegar a jaqueta e deixar a chave no vizinho para que alimentasse Lila. Correu para o carro. Teria que cruzar São Paulo. Se o trânsito ajudasse, embarcaria na última ponte. Lembrou-se de Ana. O próximo passo seria comprar um celular.

32

Ana e Ioná entraram em casa e foram direto para cozinha.

— Agora não! — Ana se dirigiu ao cachorro, que balançava o rabo freneticamente, querendo brincar.

Jogaram as bolsas na cadeira depois de sacarem os valiosos envelopes.

— Só um minuto, não abre! Vou pegar minha lupa da sorte... — saiu saltitante com Ilaga atrás.

Ioná acompanhou o par de sombras desaparecer no corredor. Olhou à volta e se sentiu em casa. Era mais próxima de Ana — que conhecia há uma semana — do que de pessoas com quem convivera durante os seis anos de faculdade. Por isso decidiu, iria contar sobre seu nascimento — devia isso a ela — antes que mergulhassem nas fotografias.

Ana, por sua vez, correu até o quarto e tirou a lupa da mala, ainda fechada, no chão. Depois passou pelo escritório e pegou uma lente de aumento de vidro, bem pesada, própria para analisar detalhes em fotografias e gravuras. Na volta à cozinha, deu uma rápida parada na sala e checou a secretária eletrônica. Nenhum recado novo. Estranhou Pedro não ter ligado. Decerto estava em alguma palestra. Achou melhor contar a Ioná que tinha contatado o amigo e que ele estava fazendo uma investigação paralela. Talvez Ioná ficasse arisca de início, mas, ao conhecer Pedro, com certeza, mudaria de opinião. Falaria com a médica logo que voltasse à cozinha.

33

Ana atravessou o corredor lentamente, sentindo a cada passo a emoção que antecede os momentos muito esperados na vida. Quando criança, a expectativa da manhã de Natal, dos minutos entre o acordar e o caminhar até a árvore para descobrir se Papai Noel havia deixado o presente. Aos 18 anos, o amanhecer na banca de jornal para ver o nome estampado — ou não — na lista dos aprovados no vestibular da USP.

Agora ela estava na iminência de entrar em uma nova trajetória. As pastas empilhadas com montes de pesquisas e esboços de projetos não seriam mais pequenos caixões de ideias enterradas. Sentia que estava perto de uma descoberta que poderia levá-la a realizar algo concreto.

Ao contrário de Ana, Ioná estava apreensiva. De que valiam aquelas descobertas se a única pessoa da família que poderia unir as peças daquele quebra-cabeça estava morta?

— Então? Vamos finalmente decifrar a capela de santa Abigail? — falou Ana ao entrar na cozinha. Pegou um dos envelopes e começou a espalhar as fotos, na ordem do negativo. Esforçava-se para não olhar. Estendia ao máximo aquele momento de expectativa.

Mal havia posicionado as primeiras cópias, Ioná voltou-se para Ana.

— Antes de começarmos, preciso te contar uma coisa... — disse com ar de preocupação.

Então havia realmente algo, pensou Ana. Permaneceu calada.

— Não quero que você ache que não confio em você... mas eu omiti algo importante que minha mãe me contou — custava a encontrar as palavras. Não queria magoar Ana e ao mesmo tempo não sabia ser polida.

— Fala logo, Ioná! — agora Ana é que estava preocupada. Sabia que Ioná estava escondendo algo desde que deixaram João Pessoa, mas não podia supor que fosse algo que envolvesse um segredo ou, pior, uma mentira. O pessimismo inerente levou-a a optar pela segunda hipótese.

— Não sei enrolar — as palavras saíram rápidas, como se a boca de Ioná fosse uma metralhadora. — Foi uma revelação que mudou tudo! Eu também fui batizada no oratório da família, antes da igreja. E minha tia-avó Ioná estava lá.

Ana soltou um suspiro, misto de alívio e incredulidade. Sentou-se na cadeira e apoiou o queixo entre as mãos.

— Se a minha cabeça está dando voltas, imagina a sua! Eu te conheço um pouco, viu? Já tinha notado algo no ar e sabia que você me contaria quando achasse apropriado... mas, francamente, jamais achei que fosse uma revelação dessas!

Ioná sentiu-se leve, como se tivesse se livrado de um peso nas costas. Ana não estava chateada, estava pasma. Ioná descreveu com detalhes a conversa com a mãe. Desde a promessa feita, ainda jovem, de batizar a primeira filha com o nome da matriarca até o juramento de não contar nada, mesmo quando ela crescesse.

— Você percebe a minha apreensão! Por horas não encontrei a tia com vida. Era ela a guardiã de toda a nossa história — a voz soou desanimada.

— Agora, mais do que nunca, temos que descobrir onde está o oratório e quem foram os seus antepassados! Sua mãe deu mais alguma pista? — perguntou uma Ana ansiosa, tentando animar Ioná.

— Pista, não... — a outra respondeu enquanto colocava na mesa a foto que a mãe lhe havia dado. — Mas me deu essa fotografia. Eu, com uma semana de vida, no colo de tia Ioná, e o oratório. O dia em que recebi meu nome.

— Ioná, isso é incrível! — Ana mal podia se conter. — Você é uma marrana! Não há dúvida e nós vamos chegar lá! Você devia estar feliz! Entrar no século XXI e saber que essa tradição se manteve por duzentos, trezentos, quatrocentos anos! Essas fotos vão nos guiar, tenho certeza! Mãos à obra!

Voltou-se para a mesa retomando a arrumação das fotografias. Agora, mais do que nunca, precisavam mergulhar no trabalho. A ajuda de Pedro era fundamental. Falaria com Ioná sobre ele mais tarde. Afinal o genealogista não tinha retornado a ligação. Era estranho, pois já passava das dez horas da noite e o amigo não era exatamente um notívago. Onde é que ele se metera?

34

Pedro conseguiu embarcar na última ponte aérea, mas não teve tempo de ligar para Ana. O voo foi tranquilo e uma hora depois já estava em um táxi, na Praia de Botafogo, a caminho do hospital no Humaitá. Lamentou — como acontecia sempre que vinha ao Rio — não ter mais tempo para esta cidade maravilhosa. Pôs à parte os problemas com falta de segurança e violência e se fixou nas belas montanhas que despontavam por todos os lados.

A chegada ao hospital foi acompanhada das lamúrias da irmã, que estava no saguão, do abraço dos sobrinhos, que ele não via há anos, e das piadas sarcásticas do irmão. Não eram permitidas visitas no CTI naquele horário, mas a direção abriu uma exceção por causa da gravidade do caso. Assim, Pedro sentiu pela primeira vez na vida a real presença da mãe. Foram breves minutos de lucidez em que ele conseguiu esquecer a raiva e perdoou aquela mulher que fizera da vida dele uma mentira durante toda a infância.

Um belo dia um homem desesperado procurou a mãe dizendo que Pedro era a salvação de seu filho com leucemia. Um daqueles casos da pessoa certa no lugar errado. Pedro quase entrara na sala, mas ao ouvir seu nome preferiu ficar atrás da porta. Tinha 12 anos. De um minuto para outro sua vida mudou. O pai, de quem ele tanto se orgulhava, que era seu melhor amigo e o único com quem tinha afinidade naquela família, não era seu pai biológico. Mais novo, fazia fantasias de que era filho do pai com uma fada, que o abandonara no meio daqueles estranhos. Descobriu que a fantasia era um pesadelo.

Nunca foi apresentado ao tal homem, não salvou o tal filho, nunca comentou a conversa roubada atrás da porta. Mas tornou-se arisco e fechou-se, como concha. O pai atribuiu a mudança de comportamento do menino doce e companheiro à entrada na adolescência. A mãe o ignorou, como fizera a vida toda. As atenções sempre se voltaram para Paulo, o primogênito. Pedro passou a ser considerado um caso perdido. Era rebelde, repetia de ano, começou a fumar. Transpirava ódio cada vez que ouvia a mãe falar sobre o irmão mais velho. E não entendia a passividade do pai em relação àquela mulher que o traíra e lhe dera um bastardo. Sentia mais raiva porque, a cada pedra que ele lançava, o pai estendia o braço. Pedro trocou a admiração pelo desprezo. Aquele homem era um bobo, um cego. Quando tinha 17 anos, porém, foi diagnosticado o enfisema pulmonar no pai. A derrocada dele marcou paradoxalmente o renascimento de Pedro. Um dia chamou o filho e lhe entregou um baú. Dentro havia documentos, certidões de nascimento, de óbito, testamentos, inventários. O pai era um grande advogado e um apaixonado pelo passado. Guardara todos os documentos relativos à família de latifundiários quatrocentões do Vale do Paraíba. Disse ao filho: "Esse é o maior tesouro que um homem pode ter, sua história. Eu passo a você." Pedro baixou os olhos — lembrava ainda como se fosse hoje — e respondeu que se sentia honrado mas não podia aceitar, pois aquela não era a história dele. A resposta do pai foi curta e definitiva. "Deus traça o caminho, mas é o homem que escolhe as pedras para construí-lo. Eu escolhi você para continuar o meu. Nunca esqueça." Palavras que mudaram a vida de Pedro.

A partir daquele dia destrinchou o baú e organizou sua primeira árvore genealógica: a família Vilela. Mergulhou nos estudos e entrou na melhor faculdade de história do Rio de Janeiro. O pai morreu em seguida. Suas últimas palavras foram para que ele perdoasse a mãe e parasse de fumar. Cumpriu o segundo pedido e, passado um mês, arrumou a mochila e caiu no mundo. Pelo menos para ele, a genética não era sinônimo de elo.

Mais de vinte anos depois, cumpria o primeiro pedido. Havia chegado a hora de embrulhar toda a mágoa e jogá-la no lixo. Lembrou-se de Ana e sentiu uma enorme vontade de falar com ela.

Ficou mais dois dias no Rio de Janeiro. O enterro foi no cemitério do Caju, no jazigo da família. A última vez que pisara ali fora no enterro do pai. Voltava agora para dizer que ele podia descansar em paz.

35

A revelação de Ioná só aumentou a disposição de Ana. Estavam perto de uma descoberta importante. Que ela soubesse, nestes últimos dois séculos, o que se tinha sobre a ligação de famílias cristãs-novas com a ascendência judaica era a tradição oral. Agora, surgiam possibilidades concretas, o oratório, a capela. Resquícios que tinham que levar a algum lugar.

As fotos dispostas na mesa, como cartas de tarô, propunham um quebra-cabeça. Ana organizou-as de acordo com os números marcados no negativo. A ordem do olhar revelou o caos. Cliques para todos os lados, sem nenhuma lógica. Resolveram então formar blocos de enquadramentos. Primeiro as imagens mais abertas, que mostravam o todo, por fora e por dentro. Depois as fechadas, separadas por espaços: santa e pedestal, paredes, sancas, teto. Ao todo, 35 fotos. Apenas a primeira tinha queimado. O filme fora colocado na máquina dentro do carro, no sítio da Estrela.

Somente duas fotos mostravam a capela por fora. Uma tirada mais de longe, onde se via a casinha, de um cômodo, pintura manchada pelo tempo, com o mato crescido em volta. Não devia ter mais do que dez metros quadrados. A segunda, mais próxima, mostrava a fachada. No alto uma cruz e logo abaixo dois triângulos, lado a lado. Um deles invertido.

Passaram para o interior. Algumas partes descascadas revelavam a estrutura de pau a pique, que poderia ajudar a datar a construção. Se a madeira fosse boa, não seria improvável que tivesse sido erguida há séculos. O barro podia sofrer retoques sem problemas, assim como o reboco e a pintura. Em um canto despontava um pedaço de pedra. Talvez a estrutura fosse composta por materiais diversos. As palavras na parede, de que Ana não conseguia se lembrar, agora surgiam claras apesar das letras desbotadas: "Nela se fez semente, ó Pai, e levará tua descendência."

As duas se entreolharam. O que significava aquilo? Mais do que nunca, Ana sentia Pedro não estar ali. Ele era bom de enigmas.

A santa estava sobre um pedestal de madeira, reto e cercado por quatro colunas estreitas, que iam até o teto. O que era um tanto curioso para uma construção tão pequena.

Fixaram-se na análise das fotos da santa. Feita de gesso, bem simples, não era uma antiguidade. Poderia bem ser — aliás, devia ser — a cópia de uma representação mais ancestral. Para Ana e Ioná, mais do que a idade, o que importava eram os sinais que ela podia conter. Na borda do manto, as flores-de-lis, uma de cada lado, semelhantes à do oratório, que tanto marcou a mente de Ana. Não eram fruto da imaginação. Estavam ali. A imagem em si em nada lembrava as representações da Virgem Maria com o menino Jesus. Os cabelos eram pretos e os olhos, azuis. Nos braços jazia um bebê, podia ser menino ou menina. Afinal, aquela era a Nossa Senhora do Bom Parto para os que a veneravam.

Puseram uma das fotos, mais fechada no detalhe da flor-de-lis, entre a fotografia de Ioná recém-nascida — que Ana acabara de ver — e a foto da pequena Ioná, filha da tia-avó. O oratório aparecia nas duas, mais ao fundo. Ana pegou a lupa; Ioná, a lente de aumento. Exploraram o desenho. Vinham da mesma fonte. Quem quer que tivesse moldado a santa e pintado o manto tinha se inspirado no símbolo do oratório, já que ele parecia claramente mais antigo. Um desenho que remetia à letra hebraica *shin*, elas não tinham a menor dúvida, embora não pudessem provar nada.

— Nós tínhamos que encontrar essa peça! — falou Ana enquanto soltava um suspiro desanimado e dava uma geral pelas fotografias desarrumadas na mesa. — Olha bem, Ioná, não há a menor chance de este oratório estar dentro da capela. Veja essas fotos do chão... terra batida... sem marcas. Só se estiver enterrado, o que seria uma temeridade! Provavelmente o tempo se encarregaria de destruí-lo!

— É... — respondeu Ioná pensativa — e acho que a última vez que ele foi usado foi no meu batizado secreto... há 24 anos! Não acredito que a tia fosse enterrá-lo, se um dia pensava em passá-lo para mim!

— E essa tal reza que sua mãe falou? Deve ser uma bênção em hebraico... ou ladino!

— Mas não adianta a gente ficar imaginando o que jamais saberemos concretamente — Ioná trouxe Ana de volta à realidade. — Tia Ioná morreu levando este segredo. Se eu conseguir desvendar as evidências que ela deixou, talvez consiga chegar perto do que ela queria me passar sobre nossa família.

Ana soltou os braços ao longo do corpo. Depois levantou-os calmamente e cruzou à frente do peito. Um meio sorriso iluminou seu rosto. Pegou uma das fotografias das sancas laterais. Havia um entalhe nela.

— O que te lembra esse desenho? — perguntou com um meio sorriso na boca.

— Não sei... um boi, uma vaca, um bode... um bicho com chifre! — respondeu Ioná sem muita convicção.

— Uma toura! Isso é uma toura! Você nunca ouviu essa história? A professora Ethel vai ficar louca quando vir esta fotografia! Sabe aquela expressão "pensando na morte da bezerra?". Vem daí!

— Fala logo, Ana! Não estou entendendo nada! Para mim é uma representação de gado! Uma referência à atividade da fazenda! Afinal, eram pecuaristas! — Não era a primeira vez que Ioná se irritava com o excesso de suspense da jornalista toda vez que achava que tinha feito uma grande descoberta.

— Pois bem! Presta atenção! A associação é tão absurda que chega a ser genial! Os cristãos-novos não podiam se reunir em sinagoga e muito menos ler a Torá! Mas eles sabiam que ali estava a Lei de Moisés, os cinco livros do Tanakh, a base do judaísmo. Com as perseguições, a Torá desapareceu, mas o respeito aos rolos, às sagradas escrituras, se manteve, mesmo que só em pensamento! Para enganar os inquisidores e os denunciadores, Torá virou... toura... que virou bezerra! O silêncio distante, a introspecção, são essas situações que nos levam a dizer que alguém está pensando na morte da bezerra! Um resquício saudoso de um tempo em que se podia venerar a "bezerra", a toura, a Torá, sem medo da fogueira!

Ioná ouvia o relato com os olhos arregalados, incrédulos. Aquilo era novo para ela. Tinha lógica. Realmente os entalhes eram de cabeças de gado e não havia o menor sentido em aquilo estar dentro de um templo religioso, por mais que os antepassados se orgulhassem da atividade pecuária. A explicação de Ana só aguçou o espírito investigativo de Ioná e ela redobrou a atenção a cada fotografia. Estava agora ligada nos detalhes. Além das sancas, as tais pilastras também traziam desenhos. Prolongou-se em uma imagem. Enquanto procurava sinais, sua mente vasculhava espaços esquecidos à procura de fragmentos de memória. Onde é que tinha visto aquele símbolo? Não era uma figura, como a da toura. Quem sabe uma letra? Mas nada tão claro como o *shin* estilizado do oratório e do manto da santa. O que a intrigava é que ela vira algo semelhante recentemente. Pressionou as têmporas com os indicadores e fechou os olhos. Concentrou-se nos últimos dias, ainda no Sertão. Aquelas marcas estavam em algum lugar por onde as duas passaram. Refez mentalmente a viagem. A casa da prima, no caminho para Córrego do Seridó. A casa de tia Ioná. O cemitério. A casa do primo prefeito. Repassou a sala de estar e de jantar, com móveis antigos de madeira e fotos da família; a cozinha, com os dois fogões — o a gás e o a lenha — e a enorme mesa com banco sem encosto; o quarto onde dormiu. Lembrava-se dos quadros, da cristaleira com miniaturas de porcelana, do estofado florido das poltronas, da espreguiçadeira de madeira na varanda. A espreguiçadeira. Era isso!

— Em cima da espreguiçadeira! Foi lá que eu vi! — As palavras saíram altas e vibrantes.

Ana levou um susto e deu um pulo na cadeira.

— O que foi, criatura? Você quase me mata do coração! — disse enquanto se debruçava sobre as duas fotos do mesmo detalhe.

— Está vendo esse desenho? — apontou para as cópias. Agora era a vez de Ioná aguçar a curiosidade da outra. — Pois você não vai acreditar. Olha bem! Você já não viu isso antes?

Ana se aproximou das fotografias e forçou a memória.

— Você tem razão! Nós vimos isso em algum lugar. Na casa da tia Ioná, talvez?

Ioná balançou a cabeça em um não triunfante.

— Na varanda do primo, Ana! Na parede atrás da espreguiçadeira! O ferro de marcar boi. Estava pendurado lá! Tenho certeza de que é ele! Sei porque a primeira vez que estive em Córrego o primo me mostrou sua coleção de objetos antigos da fazenda! Arreios, cangas de boi, esporas, selas. Eu não vi a menor graça naquilo... mas os ferros de marcar gado me chamaram a atenção. Me lembro de ele contar que alguns estavam na família há séculos. Eram a prova de que um dia tínhamos sido grandes fazendeiros! Um com este desenho estava entre eles, tenho certeza!

Ana continuou a observar o estranho símbolo.

— Incrível! Depois podemos ligar para seu primo e pedir uma fotografia para compararmos! — Ana continuou com veemência. — A capela está cheia de sinais, de referências! Esta representação não está lá à toa. Pensa bem, Ioná... você acha que este desenho está estampado na capela, e no ferro de marcar boi, por coincidência?

Ioná manteve o silêncio por alguns segundos. Depois falou com muita seriedade.

— Eu só não quero voar alto e depois cair de cara no chão. Já te disse, não sou uma historiadora, uma arqueóloga à procura de resquícios do passado para defender uma tese. Sou uma pessoa à procura de suas raízes. As suposições não são para mim. Não vão me ajudar a trazer o reconhecimento de que preciso.

— Pois eu tenho certeza — Ana cortou Ioná — de que, se os rabinos vissem, se eles tivessem presenciado tudo o que passamos até agora, o enterro, a visita ao sítio, estas fotos, eles estariam do seu lado!

— Então chegou o momento de encará-los — respondeu uma Ioná cabisbaixa.

Sabia que Ana tinha razão. A experiência dos últimos dias, o contato com tio Elias, a história de seu nascimento. Não havia como negar que ela era uma *bnei anussim*, uma filha de forçados, de conversos. Mas também sabia que aquilo tudo só soava verdadeiro para Ana porque ela tinha vivenciado. Se tivesse sido narrado por Ioná — ou por uma terceira pessoa —, certamente Ana não estaria tão convicta. Então como esperar isso dos ortodoxos? E mesmo de judeus não religiosos?

Ana, por sua vez, insistia na hipótese de que a marca do ferro de boi tinha que ser decifrada. Para a jornalista, talvez estivesse ali uma dica do antepassado que elas procuravam. O fato é que precisavam de ajuda. Não tinham conhecimento suficiente para sair daquele impasse. Tinham várias pistas jogadas na mesa, mas poucos recursos para seguir em frente. Pedro não dava sinal de vida e isso estava deixando Ana irritada. "Falta de consideração", pensou. Não queria admitir que sentia uma vontade imensa de encontrá-lo e estava decepcionada porque talvez o desejo não fosse recíproco.

— Tenho uma coisa para te contar. Sabe o genealogista de que te falei? Pois é, eu pedi que ele fizesse uma investigação sobre a sua família com base no levantamento que você me mostrou. E é fundamental mostrar tudo isso a ele!

— Ana! — Ioná levantou o tom de voz. — Mas você prometeu! Eu confiei em você. Aquilo é algo meu, pessoal! Não é uma pesquisa exótica para virar tema de aula.

Foi a vez de a jornalista se exacerbar. Respondeu ríspida.

— Neste curto espaço desde que nos conhecemos, eu por acaso fiz algo para quebrar sua confiança? Pedro é meu amigo e tem conhecimento suficiente para clarear nossas ideias! Não é um erudito vaidoso à procura de holofotes!

Ana estava certa. Até agora ela tinha agido com a maior correção. Elas precisavam de ajuda, sim. Ioná pediu desculpas e lançou a pergunta.

— E se procurássemos a professora Ethel? Afinal, foi através dela que eu comecei essa busca e cheguei até você... que me trouxe até aqui!

Ana já havia pensado nesta possibilidade, mas a professora só estaria em São Paulo no mês seguinte. Ela voltara de Recife tão apressada justamente porque embarcaria em seguida para os Estados Unidos.

— A professora só vai estar aqui perto do Pessach. Ela está em Nova York, foi conhecer o primeiro bisneto. Por isso não te encontrou em Recife. A viagem já estava marcada. De qualquer forma, Pedro é a melhor opção para nós! — as palavras saíram esganiçadas, sem paciência.

— Então tudo bem! Vamos até ele! — Ioná respondeu rápido. Não estava entendendo a irritação de Ana.

— Pois é o que estou tentando fazer desde que chegamos! Só que não consigo encontrá-lo. Ele simplesmente desapareceu! Deve ter viajado, sei lá!

Ioná olhou para a jornalista, que certamente não percebia o próprio transtorno. Apesar de estarem tão próximas, pouco tinham falado de suas vidas pessoais. Ioná contara sobre

Daniel, mesmo assim como se fosse parte do passado, o que era mentira. Ana, por sua vez, não soltara uma palavra que fosse sobre qualquer grande paixão ou amor adormecido. O sexto sentido de Ioná, no entanto, avisava que havia algo entre estes dois estados que perturbava Ana neste momento.

— Esse Pedro é contemporâneo da professora Ethel? — perguntou.

Ana deu uma gargalhada.

— Não! Pouco mais velho do que eu. Foi o melhor aluno da professora, dito por ela! Por quê?

— Por nada — respondeu Ioná, com uma leve desconfiança de que talvez ele também fosse solteiro. Mudou de assunto. — Que tal a gente comer alguma coisa? Aquele falafel não matou minha fome!

Foram as duas para a geladeira. Ana decidiu. Se Pedro não desse notícias até a manhã seguinte, iria até a casa dele.

36

São Paulo
22 de março de 2000

Ana custou a pegar no sono. Quando conseguiu já passava das três da manhã. Mais uma vez foi perturbada por sonhos que misturavam estrelas de davi, suásticas, o ferro de boi. O puxador do armário do quarto ganhava a forma do estranho símbolo entalhado na capela. Ana abria a porta e subitamente se deparava com o oratório. Aí surgia a mãe desconversando quando ela perguntava sobre a peça e fazendo sinais para trás. Um grupo de nazistas liderado por um homem — meu Deus!, ela exclamava no sonho — que era seu ex-chefe entrava em seguida gargalhando. Quando ela se voltava novamente para o oratório ele havia se transformado em um berço. Dentro dele estava um bebê pelado — um menino — que tinha o rosto de Ioná adulta e falava. Apontava para uma imagem de santa Abigail pintada em tamanho natural em uma das paredes do quarto. A imagem ganhava movimento e caminhava em direção ao bebê, que agora tinha as feições de um recém-nascido. Quando Ana encarou a santa, subitamente percebeu que ela era igual a Ioná e empunhava uma estrela de davi como se fosse uma cruz em procissão! Tentava lhe dizer algo importante, estava aflita, mas as gargalhadas histéricas dos homens de bigodinho fino e suástica abafavam todas as palavras. O barulho era tão ensurdecedor que Ana despertou apertando os ouvidos.

Olhou o relógio. Oito e meia da manhã. As marretadas no andar de cima eram mais um aviso de que ela estava realmente de volta à cidade grande. Recobrou as últimas lembranças do sonho ainda fresco. De novo a mãe, um recém-nascido e Ioná apareciam para ela. Sentou na cama por alguns minutos. Sentia-se mais cansada do que quando fora dormir.

No escritório, Ioná já estava acordada há horas, debruçada sobre as fotos. Já tinha ligado para a prefeitura de Córrego e falado diretamente com o primo. Inventou uma história longa e cheia de contornos para chegar ao ferro de marcar boi. Logo percebeu que não era preciso tanto floreio. O primo imediatamente se ofereceu para tirar uma foto e mandar para São Paulo. A prima tinha dado sorte, falou todo bonachão, ele estava de partida para João Pessoa. Iria tirar a fotografia e logo teria uma cópia nas mãos. Pediu o endereço de Ana. Ia aproveitar para mandar junto algumas reportagens sobre sua administração e dados sobre a cidade para que fossem entregues à jornalista. Quem sabe ela não escolhia Córrego para locação de seu documentário?

Ioná desligou rindo sozinha.

— Documentário?! — pensou em voz alta.

Não sabia exatamente o que Ana havia contado ao primo sobre o motivo de estar em viagem pelo Sertão. O certo é que havia funcionado. Ouviu passos no corredor, e um latido fino seguido de um sussurro por silêncio. Abriu a porta e deu bom-dia ao cachorro que abanava o rabo freneticamente. Ana vinha logo atrás, com um moletom velho e camiseta branca.

— Pelo visto você levantou com as galinhas! — disse, ao perceber que Ioná já estava vestida e com a cara fresca, sem amassados de travesseiro ou inchaço nas pálpebras.

— Não se esqueça de que eu sou do interior! Já é praticamente hora do almoço — respondeu brincando. — Tenho novidades!

Ioná contou do telefonema logo cedo e o rodeio desnecessário para chegar ao ferro de boi. O primo prometeu mandar as fotos junto com material de pesquisa... para o documentário de Ana. O complemento saiu reticente. A jornalista lembrava vagamente de ter dito algo sobre filmar famílias do Sertão. As duas riram em meio às torradas de pão integral com mel e ricota. Ele também confirmou que a marca do gado estava na família há mais de dois séculos, pelo menos era o que lhe contara o avô, de quem herdou a peça.

Tanto Ana quanto Ioná tinham a mesma sensação. Havia uma história à margem, retalhos para alinhavar. Só faltava a linha. Tinham plena consciência de que a partir daquele ponto não conseguiriam seguir sozinhas. Ana resolveu colocar em prática a última coisa em que pensara antes de dormir. Depois do café iria até Mairiporã atrás de Pedro. A ideia foi atravessada pelo toque do telefone. Era ele. O genealogista finalmente aparecera.

A ligação foi breve. Pedro disse que estava fora de São Paulo mas voltaria no dia seguinte. Foi evasivo sobre o motivo da viagem. Desligou tão rápido quanto ligou. Ana pôs o fone na base e serviu uma xícara grande de café. Qualquer que fosse a razão daquela fuga repentina, não era brincadeira.

37

São Paulo
23 de março de 2000

"Sinto muito... não há o que dizer nestas horas." A última coisa que Ana teria imaginado era que Pedro desaparecera por causa da morte da mãe. Para ela, até aquele momento, o amigo era um ser apenas da história com H maiúsculo. Um homem de muitas famílias que não tinha espaço para a dele próprio. Afinal, o genealogista nunca dissera uma palavra sequer sobre pais, irmãos, avós. E, de certa forma, continuava sem dizer. Ana não insistiu. Ela também raramente falava sobre sua vida pessoal. Neste momento, porém, sentiu uma imensa vontade de estar perto do amigo. Ele, do outro lado da linha, sentia o mesmo.

— Bom, Pedro, se precisar de alguma coisa estou por aqui. — Mas o que ela queria dizer mesmo era "estou indo para aí agora!". — Quando você estiver melhor nos encontramos — completou meio sem jeito.

— Ana, eu não vou ficar melhor ou pior do que estou — respondeu ele sem muita convicção.

A resposta desarmou Ana.

— Você pelo menos está se alimentando? — foi o que lhe veio à cabeça. — Eu vou aí levar uma sopa para você.

O silêncio do outro lado da linha escondeu as lágrimas. As primeiras que ele se permitiu chorar nos últimos dois dias. Ela interpretou a falta de resposta como um problema na ligação telefônica.

— Pedro? Você está me ouvindo?

— Estou, Ana. Acho que a sopa vai cair muito bem. Melhor ainda se você trouxer sua amiga Mendes de Brito. Quero saber tudo da viagem... e contar o que descobri! E pode trazer Ilaga!

Ana sorriu. Pedro estava de volta.

Enquanto Ioná arrumava as fotos, Ana preparava uma bolsa térmica com uma pasta de azeitona e outra de ricota com ervas, além da sopa de legumes e músculo, que a empregada tinha preparado e congelado. Pegou a coleira, o cão, e saíram. Pedro morava do outro lado da cidade. Valia a pena enfrentar mais de uma hora no trânsito para cair naquele pequeno paraíso perdido. Ao entrar na serra da Cantareira, o cenário mudava. O cinza dava lugar ao verde e as curvas ladeadas de árvores eram um convite para abrir as janelas e respirar ar puro. Chegaram ao sítio do genealogista. O único sinal de que estavam próximas a São Paulo era o portão de ferro maciço, contornado pelo muro de concreto alto. Até o mais ermitão dos homens não podia ficar alheio à crescente onda de violência que assustava a cidade. Ana tocou o porteiro eletrônico. Um minuto depois o paredão de ferro se abriu para um outro mundo, bem longe de qualquer estresse ou tensão.

— Ana, que lindo! Não me admira que seu amigo viva isolado aqui! — exclamou Ioná assim que o portão se fechou atrás do carro. — Você tem razão, acho que vou gostar dele.

Pedro surgiu na porta, com Lila ao lado. A rottweiler pulou sobre Ana e Ioná para em seguida abocanhar o pescoço de Ilaga e mostrar quem era a dona da casa. Ana deu um longo abraço em Pedro. Era o primeiro contato físico que tinha realmente com ele. Até então a amizade dos dois se restringia a muitas conversas e um leve roçar de lábios na bochecha na chegada e despedida. Ela sabia bem que nessas horas era melhor ficar de boca fechada e ser apenas um bom ouvido. Se Pedro quisesse, ele falaria. Ana apresentou Ioná. Não era preciso nenhum sexto sentido para perceber que aqueles dois tinham muito mais em comum do que o gosto pela história dos cristãos-novos. A médica percebeu de cara.

— E então? — disse Pedro enquanto apertava a mão dela. — Você é a famosa Ioná? Além de médica, uma excelente genealogista! Vamos entrando.

Os três seguiram para a casa e foram direto para a cozinha. Ana colocou a sopa para descongelar em uma panela enquanto acomodava as outras guloseimas na bancada da pia. Pedro sentou-se no banco de madeira comprido que ladeava a mesa e pensou que Ana definitivamente combinava com aquele espaço.

38

Passava um pouco do meio-dia quando sentaram para tomar a sopa acompanhada de um pinot noir da Patagônia, que Pedro ganhara de um amigo argentino. Embora estivessem recém-entrados no outono, nos estertores de um verão de altas temperaturas, a refeição caía bem naquele lugar perdido no mato. O clima estava ameno e uma leve brisa mantinha a cozinha fresca.

Foram direto ao assunto. Ana relatou toda a viagem, com detalhes, desde o esbarrão em Ioná na rua da sinagoga, em Recife, até o encontro com tio Elias, no sítio da Estrela, no Sertão paraibano. O enterro de tia Ioná foi descrito minuciosamente. A mortalha de pontos largos; o corpo, sem caixão, em terra virgem; os espelhos cobertos; a água dos potes jogada fora e tantas outras curiosidades que Ana havia registrado e agora lia para Pedro. Ele escutava maravilhado. Em um certo momento pediu licença e deixou a mesa para retornar minutos depois com um calhamaço de anotações e livros.

— Escutem só isso! — exclamou. — Trechos de processos inquisitoriais de homens e mulheres acusados de judaizar nos séculos XVII e XVIII no Nordeste brasileiro!

Pedro corria as páginas marcadas com pedaços de papel. O exemplar tinha remendos de durex na lombada, fruto de anos e anos de manuseio.

— Agora prestem atenção — prosseguiu ele — e vejam se não soa familiar. Aqui estão algumas das práticas que os inquisidores julgavam suficientes para levar à frente uma acusação de judaísmo. Abre aspas — empostou a voz. — Não dar conselhos aos sábados; fazer sujeidades à cruz; ter sinagoga; criticar o Santo Ofício; ter dois nomes, um deles hebraico; fazer ajuntamentos; inclinar-se para o inimigo; virar a cara na igreja; não ficar de joelhos na igreja — olha aí o tio Elias! — comentou Pedro rapidamente —, não comer carne de porco nem peixe de pele; não trabalhar aos sábados; tomar banho e usar roupas limpas neste dia — fecha aspas! Isso tudo sem citar os costumes de morte!

E passou para outro livro, sobre os judeus no tempo do Brasil colonial. Pôs-se a ler partes da chamada *Carta monitória*, a cartilha dos inquisidores no Brasil, usada em Portugal desde 1536.

— "O tratamento e sepultamento dos cadáveres e o luto segundo o costume judaico. Comer em mesas baixas durante o luto; banhar e vestir defuntos com roupas de linho, vesti-los com compridas camisolas cobrindo-os de mortalhas; enterrar em solo virgem, e sepultura bem funda; colocar moeda de prata ou ouro na boca do defunto, destinada ao pagamento da sua primeira pousada; cortar-lhe as unhas; esvaziar moringas, tigelas e demais potes de água após a morte. Exprimia a crença de que o morto viria banhar-se ou que o Anjo da Morte ali estivesse lavando a espada com que golpeara o morto."*

---

*Trecho do livro *Judeus no Brasil Colonial*, de Arnold Wiznitzer, editora Pioneira (1966).

Fez uma breve pausa e encarou as duas. Era como se o enterro que haviam presenciado em Córrego do Seridó passasse em flashes.

— E essa aqui — continuou ele. — A bênção das crianças, com a imposição das mãos sobre a cabeça, passando-as sobre a face, sem fazer sinal da cruz. A chamada bênção de Jacó!

— Minha mãe faz exatamente isso até hoje! É tão comum no interior! Só não sabia que se chamava bênção de Jacó! — Ioná comentou.

— Tem mais... — Pedro havia aberto uma caixa de novidades. — Na recitação das preces, voltar-se para a parede e baixar e levantar a cabeça durante as orações!

— É o tio Elias! — exclamou Ana. — Nós vimos ele rezar do lado de fora da capelinha!

Ouvir aquilo tudo animava Ioná. Pedro era um estudioso, um homem sério, que estava ali mostrando que ela não era louca. Mas ao mesmo tempo incomodava, e muito, o fato de que todas as constatações não fossem suficientes para garantir-lhe o que ela vinha buscando neste último ano. Por isso lançou a pergunta:

— O que me aflige, Pedro, é que quanto mais me aprofundo neste assunto, quanto mais descubro fatos, percebo que mais do que o desejo eu almejo um direito... o direito de viver plenamente o judaísmo! Então me responda... de que me valem essas constatações se a religião não as reconhece?

O silêncio tomou a sala por alguns segundos até ser quebrado por Pedro.

— Primeiro, eu não diria que a religião não reconhece... diria que os religiosos é que são o obstáculo. A interpretação que fazem da Lei! A questão da confirmação do ventre é sagrada no judaísmo. Veja o exemplo, uma criança adotada por uma família judia... conheço vários casos. Mesmo que chegue ao seu novo lar com menos de uma semana de vida e seja criada dentro das estritas leis ortodoxas — alimentação kosher, respeito ao *Shabat*, estudo das escrituras e da língua hebraica —, essa criança passará por um processo de conversão em um dado momento de sua vida! Ela não é reconhecida como judia até que isto aconteça!

— Mas, no meu caso — rebateu Ioná —, o que venho tentando provar é que minha família, além dos costumes, mantém a linhagem matriarcal há séculos. E, mais do que isso, que essa linhagem se perpetuou conscientemente! Era isso que minha tia-avó queria me contar antes de morrer, tenho certeza! Como não cheguei a tempo, ela me deixou os sinais que pôde!

Pedro escutava atentamente. Conhecia bem aquela sensação de querer transformar em realidade uma vontade. Mas ele era um cético. Não havia como ter certezas absolutas em uma situação como aquela. Ana, que até então permanecia calada, interrompeu os pensamentos do genealogista.

— É isso mesmo, Pedro! Conta para ele, Ioná, o que sua mãe te disse sobre o seu batizado no oratório! E tem mais, você precisa ver as fotos que tiramos da capela no sítio da Estrela!

— Pois sobre este assunto... tem uma outra curiosidade aqui neste livro — e bateu na capa desgastada — que vai agradar e muito as senhoritas!

— Deixa de suspense! — Ana atravessou a fala do amigo.

— Mais uma vez, escutem: era também uma prática dos cristãos-novos — e caiu os olhos nas páginas amareladas pelo tempo — erguer capela para adoração de seus mártires sacrificados em Lisboa. Será que a nossa santa Abigail, de repente, não foi uma herege para a santa madre igreja? Uma hipótese...

A essa altura Pedro já tinha conquistado a confiança de Ioná. Não havia motivo para não deixá-lo a par de tudo. A médica narrou o relato da mãe, da mesma forma que tinha contado a Ana no dia anterior. Ele sentiu um calafrio percorrer a espinha. Pela primeira vez, nestes longos anos percorridos atrás de pistas e documentos que reconstruíssem as famílias de origem cristã-nova no Brasil, parecia estar lidando mais com o presente do que com o passado. Aquela moça, que não tinha nem um quarto de século, colocava à sua frente a vida real, bem longe dos arquivos empoeirados e das bibliotecas centenárias.

Pedro tirou a mesa enquanto Ioná foi até a sala pegar as fotos. Ana se ofereceu para lavar a louça. Ele pegou um pano e começou a secar os pratos, sem jeito. Tinham muito a dizer um ao outro, mas preferiram aproveitar aquele instante a sós, em silêncio, lado a lado, os cotovelos roçando vez por outra. Percebiam, cada um a seu modo, que Ioná os colocara de frente para uma realidade muito além daquela busca pelas raízes.

39

Espalharam o material na larga mesa de madeira maciça. Com as fotos dos batizados, uma em cada mão, Pedro observava as duas Ionás, bebês em um espaço de quase quarenta anos. Não havia dúvida de que o oratório era o mesmo. E depois de ouvir Ana e a médica falarem com tanta convicção que não era uma flor, mas o *shin* abaixo da cruz, ele já não conseguia imaginar outro sentido para aquele símbolo. Aproximou a lupa das fotos e estudou as duas imagens atentamente. Passou de uma para outra algumas vezes.

— É realmente interessante. E essas duas velas?

— Velas? — responderam Ana e Ioná ao mesmo tempo, cada uma de um lado do genealogista. Agora que ele apontara, os dois tocos pareciam bem destacados nas fotografias, principalmente na mais recente.

— Curioso nenhuma de nós ter percebido as velas! — respondeu Ana com um suspiro. — Mas o que significam?

Pedro já estava com a mente em outro lugar. Virou as fotos e comparou as datas. Na mais antiga, 7 de junho da 1940. Na mais recente, 30 de janeiro de 1976.

Ioná completou o quebra-cabeça.

— A pequena Ioná nasceu no dia 31 de maio e eu no dia 23 de janeiro. Coincidentemente, nossas cerimônias de batizado no oratório aconteceram sete dias depois.

— Não é no oitavo dia de vida que o bebê judeu ganha o nome? — Ana perguntou.

— Isso para os meninos. É o dia da Aliança, da circuncisão. Para as meninas é diferente — respondeu Pedro distante voltando-se para Ioná. — Você sabe, por acaso, em que dia da semana nasceu?

Ela pensou por alguns minutos e respondeu.

— Sexta-feira! Foi numa sexta-feira, depois das dez horas da noite. Me lembro de a minha mãe contar que foi sorte meu pai estar em casa por causa do fim de semana, ele era caminhoneiro.

— Esperem um minuto! Já volto!

Pedro correu até o escritório. Precisava consultar sua tabela de calendários. Mas tinha praticamente certeza de que 31 de maio de 1940 também era uma sexta-feira. A suspeita se confirmou em poucos minutos. Voltou para a cozinha com um sorriso triunfante.

— Como eu imaginava. A coincidência não são os sete dias de diferença entre o nascimento e o batismo no oratório. A coincidência são os dois nascimentos na sexta-feira! Na religião judaica, as meninas recebem o nome em seu primeiro *Shabat* de vida. Ou seja, na primeira sexta-feira, ao surgimento da primeira estrela no céu, depois do dia em que nascem! Se vem ao mundo na terça, vai receber o nome com três de dias de vida, se for na quinta, com um dia...

Ioná completou o raciocínio rapidamente.

— ... e se for na sexta à noite, como foi meu caso, com sete dias! Na semana seguinte!

— Isso mesmo — retrucou Pedro. — Vocês duas nasceram em sextas-feiras! E a pequena Ioná também, com certeza, à noite!

Agora foi a vez de Ana gritar eufórica.

— As velas são do *Shabat*! Incrível! Vocês receberam os nomes no primeiro *Shabat* depois que nasceram!

— Não podemos afirmar nada, mas as evidências levam a essa conclusão! — Pedro não cabia em si de felicidade. Adorava desvendar as entrelinhas. Aquela história estava cada vez melhor. — Ioná, tenho que te confessar uma coisa, eu sou a pessoa mais cética que você vai conhecer na vida... mas contra fatos, eu não posso argumentar!

Chegara o momento de mergulhar nas fotos do sítio. Assim como na casa de Ana, as fotografias foram dispostas primeiramente por ordem numérica. Depois divididas em blocos temáticos. Pedro concordou com a suposição da jornalista sobre a cabeça de gado talhada na sanca de madeira. A referência velada à Torá era perfeitamente cabível no contexto. Mais uma vez recorreu aos livros espalhados e colheu trechos que confirmavam a hipótese. Os cristãos-novos colocavam os esqueletos da cabeça do touro em lugares nobres e os reverenciavam secretamente.

Outro detalhe que tinha passado despercebido por Ana e Ioná, e que Pedro rapidamente identificou, foram os triângulos em relevo, na porta de entrada. Sobrepostos formavam uma estrela de davi abaixo da cruz. Seria esta mesma referência camuflada que dera nome ao sítio?

A capela tinha com certeza mais de dois séculos, isso ele já sabia e contaria a elas mais tarde. Ficou intrigado com as quatro colunas centrais que sustentavam a pequena estrutura. Se as colunas fossem o que ele achava, estariam de frente para uma descoberta única no Brasil. Conteve a emoção e a vontade de falar sobre a suspeita. Era preciso mandar imediatamente as fotos para a amiga Célia Valaderos, arqueóloga da Universidade de Évora, em Portugal, uma especialista na herança judaica nos territórios lusitano e espanhol.

Sobre a santa, com seu manto azul marcado com a flor-de-lis e a criança no colo, Pedro tinha quase uma certeza: Abigail era uma antepassada, ou alguém próximo à família, que ajudara no parto da primeira Ioná. Batia com o relato da médica sobre a conversa com a tia-avó. O nascimento fora obra da Nossa Senhora do Bom Parto, ela dissera. Pedro achou algumas representações desta Nossa Senhora, mas nenhuma que tivesse o nome de Abigail. Da mesma forma a santa não constava em nenhuma literatura religiosa. Mais uma pista que teriam que desvendar.

A tal frase na parede — "Nela se fez semente, ó Pai, e levará tua descendência" — também deixou Pedro intrigado. Algumas letras, na caligrafia bem simples, estavam apagadas, mas a mensagem era clara.

— E esta frase estampada na parede? Quem escreveu? Sua tia-avó, talvez? Precisava tanto ver esta capela de perto... — pensou Pedro em voz alta.

— Eu não arriscaria ir até lá por agora. — Ana trocou um olhar com Ioná. — Tio Elias praticamente nos pôs para correr!

Mas Pedro parecia não prestar atenção e continuou o raciocínio.

— Nela se fez semente... quem será ela? A matriarca? E o Pai... será uma referência a Deus — o eterno — ou ao pai biológico?

— A matriarca é a mãe da primeira Ioná, só pode ser! — retrucou a médica. — Acho que ela é a chave deste mistério.

Mas ninguém sabe seu nome. Apenas que era uma viúva portuguesa que se casou com o coronel. Apareceu um belo dia, com uma filha pequena. De onde surgiu? Ninguém sabe.

— Sendo assim — foi a vez de Ana interferir —, o pai seria o coronel... mas, se todos o conheciam, por que pintar esta frase na capela tantos anos depois? Qual o sentido? O sobrenome dele está em todos os registros... desde a primeira Ioná!

— A não ser que o pai não seja ele... — Pedro soltou de repente. — Meu amigo Macieira, um especialista nas genealogias do Sertão nordestino, mandou algumas informações interessantes... a partir do seu brilhante levantamento — disse olhando para Ioná — que Ana me entregou em confiança!

A essa altura Ioná já não estava mais chateada. Pedro era realmente a pessoa indicada para ajudá-las.

— Pois vejam só — disse, enquanto sacava da pilha no canto da mesa um calhamaço de papéis de fax presos com um clipe. — Quando citei o sobrenome Mendes de Brito, Macieira lembrou-se imediatamente de já ter ouvido referências. O estudo minucioso de Ioná, a partir da memória da tia, só fez meu amigo acreditar que chegaria a vários documentos. Afinal eram 13 gerações, e a não ser pela nossa Ioná — apontou para a médica —, todas nascidas em uma mesma localização geográfica... a tal fazenda do coronel Rufino — que, supõe-se, é o sítio da Estrela — e os arredores de Córrego do Seridó.

Prosseguiu como se contasse uma história de suspense.

— Então o Macieira começou uma verdadeira investigação! Vasculhou os livros de batizado, casamento e sepultamento das igrejas da antiga freguesia da Nossa Senhora de Santa Ana do Seridó, atual Caicó, e da freguesia de Nossa Senhora do Bom Sucesso do Piancó, atual Pombal. Ambas no Seridó, a primeira no lado do Rio Grande do Norte e a segunda no da Paraíba. São as matrizes mais antigas da região... mas só existem registros a partir de 1748; portanto, da última metade do século XVIII. Em Pombal, a construção começou em 1719. No entanto, a primeira referência ao povoamento do Seridó é de 1670, quando o capitão Francisco de Abreu de Lima ganhou uma sesmaria no território que viria a ser a freguesia de Santa Ana. E só cinquenta anos depois é que se teve conhecimento das primeiras famílias — subentende-se mulher e filhos — instaladas na região. Antes disso, talvez por conta das precárias condições e da ameaça dos índios, a região era certamente habitada por homens desacompanhados, à procura de fortuna e futuro, e por fugitivos. Mas o que tudo isto tem a ver com sua busca? — encarou Ioná com a pergunta.

Não deu tempo para que ela emitisse som algum e emendou a resposta.

— Só para elucidar: contando uma média de três a quatro gerações por século, com a sua genealogia chegamos pelo menos à segunda metade do século XVII, por volta de 1650! Mas só encontramos referências de povoamento do Seridó, como já disse, a partir de 1720, o que faz de sua pesquisa um registro sem precedentes! O curioso é que o Macieira não encontrou nada! Absolutamente nenhuma referência oficial às Mendes de Brito que você levantou!

Ioná deixou os braços caírem ao longo do corpo.

— Mas titia não teria por que mentir! Por que ela inventaria tudo isto? — respondeu indignada.

— Calma! — apaziguou Pedro. — Foi exatamente o que eu e Macieira pensamos! Nos deparamos com um enigma histórico. Tínhamos um registro oral consistente mas nenhum documento que o comprovasse, nada nos livros das paróquias mais antigas. Surgiram alguns Mendes de Brito casados com Oliveiras, Cordeiros, Maias, Nunes, Medeiros, Mouras. Mas nenhuma citação a ninguém diretamente do seu tronco. Resumindo, nenhum dos seus antepassados diretos! Encontrar uma pista então tornou-se um desafio. O Macieira foi a campo atrás dos registros privados — o nordestino do Sertão é por natureza um garimpador de sua tradição; vocês iriam se espantar com a quantidade de pessoas que têm na genealogia um vício... positivo! E qual não foi a surpresa ao encontrar um nome vinculado à sua árvore!

As duas mal podiam conter a expectativa. Pedro era definitivamente o par perfeito para Ana, pensou Ioná. O excesso de rodeios, estender ao máximo a curiosidade até que ela virasse um frágil filete e rompesse, a mesma forma de agir da jornalista.

— Então Macieira seguiu a primeira pista. Sua tia-avó havia dito que o coronel Rufino Mendes de Brito, pai da primeira Ioná — o suposto patriarca —, havia nascido em Pernambuco e que teria por volta de 60 anos na época do nascimento da filha. Isto nos levou ao início do século XVII, final do XVI. O coronel deve ter nascido pouco depois da primeira visita do Santo Ofício ao estado. Apenas uma curiosidade! O fato é que procurar alguma referência ao seu nascimento nos arquivos pernambucanos seria como catar uma agulha no palheiro. Então o Macieira seguiu para a segunda indicação: Pedra Lavrada e arredores. Mais difícil ainda, porque historicamente não existia povoamento na região nesta provável data! Pelo relato da tia-avó de Ioná, o coronel estaria aqui por volta de 1650, com esposa, enteada e uma filha recém-nascida! Não podemos descartar que o coronel fosse um desbravador... mas trazer a família! Imaginem se conseguíssemos comprovar isto!

— Pedro, por favor, você quer ir direto ao assunto? — falou uma Ioná impaciente.

Ele olhou para a médica fixamente e puxou uma das folhas de fax.

— A cidade de Pedra Lavrada e os sítios vizinhos são uma enorme reunião familiar. Metade da cidade é do clã dos Cordeiros e a outra metade, dos Cavalcantis. Estão ali há mais de duzentos anos, desde que se tem notícia do povoamento da região... pois o Macieira foi até lá remexer os arquivos da paróquia local... e acabou conhecendo um fazendeiro da família Cordeiro! Conversa vai, conversa vem, o homem lhe mostrou a certidão de óbito de um antepassado distante, um Mendes de Brito que havia casado com uma Cordeiro: o nome dele era Rufino Mendes de Brito Maia! Rufino, como o coronel!

Pedro pegou então uma folha sem pauta com um organograma. Eram os nomes passados por Ana da pesquisa genealógica de Ioná. Ao lado de cada geração uma data estimada. Comprovados, só os anos de nascimento das seis últimas gerações — entre 1835 e 1976 —, levantados pela própria Ioná. As duas se aproximaram do desenho.

— A julgar pelo nome e as referências, que mostrarei a seguir, podemos concluir que o Rufino casado com uma Cordeiro é um dos filhos legítimos de Avelino Mendes de Brito Maia, que vem a ser filho da primeira Ioná e pai adotivo da terceira Ioná! Não é incrível? A endogamia fez com que estas famílias preservassem, além dos costumes, os documentos. Não estão nas igrejas nem nos cartórios! Os baús das fazendas se transformam em verdadeiras máquinas do tempo!

Pedro não conseguia conter a euforia, mas Ana e Ioná queriam as novidades.

— Mas o que diz o tal documento? — Ana atravessou as divagações do genealogista.

— Escutem: "Aos seis dias do mês de setembro de 1807 foi sepultado em fazenda nos lados dos Porcos do Seridó o cadáver de Rufino Mendes de Brito Maia, viúvo que era de Idalina Cordeiro, sem filhos, *falicido* de moléstia interior na idade de 97, com os sacramentos, e sendo *involto* em hábito branco, foi *incommendado* pelo padre Avelino Mendes de Brito Maia Filho, que vem a ser irmão do *falicido*, de minha licença, do que para constar mandei fazer este assento, que *assigno*", e abaixo tem o nome do vigário... alguma coisa Guerra! Enfim, estamos chegando perto, não estamos?

Ioná franziu a testa. Os pensamentos a mil... 1807 aos 97 anos. Pensou alto:

— Então nós chegamos a 1710, o ano do nascimento de Rufino... que seria bisneto do coronel Rufino, de quem leva o nome... e com certeza filho de Avelino, o neto preferido do coronel, já que o irmão padre é Avelino Filho! Difícil haver um homônimo fora da família naquela região de Pedra Lavrada onde, até hoje, se fala dos Porcos do Seridó!

Quanto mais Ana tentava acompanhar o raciocínio, mais quebra-cabeças se formavam em sua mente.

— Parem um minuto, vocês dois! São muitos nomes e datas. Não estou conseguindo acompanhar! Aonde isso nos leva? — Ana lançou a pergunta.

— Minha querida — respondeu Pedro triunfante. — Juntando este dado com as informações de Ioná, podemos nos aproximar do ano de nascimento da primeira Ioná... onde tudo começa! Afinal Rufino seria neto dela e irmão adotivo da terceira Ioná! E se hipoteticamente, como já disse, se tem uma nova geração a cada 25 ou 30 anos... voltamos portanto duas gerações e chegamos a uma data entre 1650 e 1660 para o nascimento da nossa matriarca!

Ioná mal conseguia conter a emoção! Para ela, a resposta de tudo estava na mãe da primeira Ioná, a portuguesa, também mãe de outra menina, que se casara com o coronel. As datas começavam a se juntar.

— O que nos leva a crer — continuou Pedro em voz alta o raciocínio da médica — que a primeira Ioná pode ter nascido ainda no período de domínio holandês no Nordeste. Eles partiram em 1654, e, mesmo que ela tenha nascido pouco depois disso, a mãe dela — a tal portuguesa que se casou com o coronel Rufino — com certeza chegou ao Brasil na gestão dos batavos! Não podemos esquecer que ela já tinha uma filha quando se casou com o coronel! E que as duas eram portuguesas! Com certeza vieram de Amsterdã, como tantos judeus fugindo da Inquisição, atrás da liberdade religiosa nas terras do Novo Mundo!

— Era exatamente isso que eu estava pensando! Temos que descobrir quem era ela! — completou Ioná.

— E tem mais uma coisa. O melhor de tudo... — Pedro encarou as duas, chegava a hora de contar sobre a capela — e que se esclarece a partir da descoberta que vocês fizeram! O sítio da Estrela e a capela de santa Abigail!

O genealogista puxou outra folha do calhamaço enviado por Macieira.

— Meu amigo garimpador descobriu mais um documento nos arquivos do fazendeiro. Prestem atenção! Aqui estão os autos do inventário de Rufino Mendes de Brito Maia — e prosseguiu a leitura.

— "Sítio nos arredores dos Porcos do Seridó", aí tem um trecho apagado e continua, "na capitania da Parahyba com morada de casa *terria* com seis portas, quatro janelas e *feixaduras*; seiscentas cabeças de gado, avaliada cada rez a *1$400*, sítio de terras de criar gados denominado Paraíso com *huma* légua de comprimento e *houtra* de largo, sem benfeitoria alguma". O inventário segue por um sem-fim de propriedades. Seu antepassado era um homem de posses! — exclamou, para em seguida continuar: — E como não tinha herdeiros os bens ficaram para os irmãos e sobrinhos. E aqui está o que nos interessa!

A essa altura Ana e Ioná estavam debruçadas cada uma sobre um ombro de Pedro.

— Em um único dos bens relacionados existe uma ressalva. Escutem: "determinou o falecido ao irmão vigário, quando recebia a extrema-unção, que era de sua vontade e cumprindo o desejo de seu pai que o sítio onde ora morava passasse à posse de sua estimada e única irmã adotiva e prima legítima e aos que venham a ser seus herdeiros."

— Meu Deus! Só pode ser o sítio da Estrela! — Ioná levou as mãos à testa.

— E a irmã adotiva só pode ser a terceira Ioná! — gritou Ana, que segurava na mão a árvore genealógica montada por Pedro a partir das pesquisas da médica.

— E tem mais! — Pedro continuou. — "E que sejam guardiões da capela erguida por meu pai em homenagem a sua mãe, onde rezou durante um ano todos os dias para que sua alma descansasse em paz e onde também eu orei todos os dias durante um ano pela alma de meu amado pai quando do seu falecimento."

Ioná não conteve as lágrimas. Todas as confirmações estavam ali. Não havia nada mais judaico do que aquele longo luto. "Os judeus rezam durante os onze meses seguintes à morte, duas vezes ao dia." Era como se ouvisse a voz de Daniel, logo após a perda do pai. Foi Pedro quem quebrou o silêncio.

— Em todos estes anos eu nunca me deparei com informações tão contundentes... a minha sincera opinião é que se deve voltar ao sítio! É preciso conversar com tio Elias. Se ele é o herdeiro das terras com certeza sabe muito mais do que contou a vocês!

— Concordo! — falou Ana. — E tem mais uma descoberta que fizemos na capela. — Voltou-se para Ioná: — Mostra para ele a marca de boi!

A médica puxou a fotografia em meio ao bolo revirado que se formara na mesa e a pôs na mão de Pedro, num gesto mecânico. Estava com a cabeça longe. Mais do que nunca precisava confrontar os rabinos. Não prestou atenção nas elucubrações sobre o desenho, semelhante ao do ferro de marcar gado, que estava na casa do prefeito de Córrego do Seridó.

Pedro reproduziu a forma em uma folha branca. Ao contrário de Ana, tinha dúvidas de que fossem caracteres em hebraico misturados, que se emendavam uns nos outros. Remetia a algo que ele não conseguiu decifrar.

Quando olharam o relógio já eram quase 8 horas da noite. A tarde havia corrido e o dia escurecera lá fora sem que percebessem. Precisavam retornar a São Paulo. A Serra da Cantareira não era exatamente o lugar mais seguro para duas mulheres sozinhas atravessarem altas horas da noite. Pedro se ofereceu para acompanhá-las, mas Ana recusou, se saíssem naquele instante ainda pegariam movimento na estrada. Ele então pediu para ficar com um jogo de fotos, iria analisar com mais calma. Só omitiu que mandaria algumas para a arqueóloga portuguesa.

Na hora da despedida, Pedro deu um forte abraço em Ana. Nunca havia sido tão caloroso. Uma sensação de paz e felicidade tomava seu peito. Não era só por causa do trabalho que ele adorava. Era a presença dela.

— Obrigado — disse ele olhando bem no fundo dos olhos de Ana. — Muito obrigado por este dia.

Em qualquer outra situação ela rebateria com alguma ironia, típica de quem quer se proteger da intimidade. Mas não naquele momento. Manteve o olhar. Era a única e a melhor resposta que ela tinha.

40

São Paulo
24 de março de 2000

Ana dedicou a manhã a cumprir a promessa que tinha feito a Ioná antes de embarcarem para São Paulo: colocá-la frente a frente com rabinos ortodoxos. Bastaram alguns telefonemas e as entrevistas foram marcadas. O nome da professora Ethel tinha o mágico poder de abrir portas, mesmo onde elas não existiam. Havia passado as últimas horas dominada por um único pensamento: voltar ao sítio da Estrela. Torcia para que Ioná percebesse que a resposta estava lá, tão perto dela, e não no tortuoso caminho por onde queria se enveredar. Passou horários e endereços. No dia seguinte, sábado, depois do fim do *Shabat*, começaria a jornada da médica.

No outro lado de São Paulo, Pedro deixava a agência dos correios. Havia postado as fotos da capela do sítio da Estrela, depois de uma rápida conversa com o marido de Célia Valaderos. A arqueóloga estava em uma escavação na região da Extremadura, fronteira da Espanha com Portugal. Se dividia nos trabalhos de recuperação da antiga sinagoga de Castelo de

Vide, no lado português, e da recém-descoberta sinagoga de Valência de Alcântara, no lado espanhol.

A cidade era um marco na história dos judeus da Península Ibérica. O rei de Portugal, Dom Manuel, casara-se com Isabel, filha dos Reis Católicos, na catedral de Valência. A união culminou na expulsão de todos os judeus do território lusitano no final do século XV. Cinco séculos depois, uma descoberta casual desvendava o passado. Os comentários de moradores, de que uma igreja de judeus teria existido em um local que fora transformado em estacionamento, levaram a arqueóloga a constatar que nem todas as tentativas de cristianizar o espaço foram bem-sucedidas. Muito havia sido destruído, mas a estrutura básica da sinagoga permanecia. Pedro acompanhara parte do trabalho de reconhecimento, em sua última viagem a Portugal.

Agora, tinha praticamente certeza de que bastaria um passar de olhos pelas fotografias para a amiga constatar que a capela do sítio da Estrela também havia sido, em algum momento da história, uma sinagoga.

41

São Paulo
25 de março de 2000

Ioná chegou à sinagoga no bairro de Higienópolis pouco antes do início das orações. O fim de tarde quente não impediu que colocasse um vestido solto, caindo abaixo dos joelhos, com mangas compridas. Os cabelos presos em um rabo de cavalo só ajudaram a ressaltar os olhos azuis. Quanto menos intenção ela tivesse, mais bonita ficava. A entrada foi acompanhada por olhares tímidos, de ambos os sexos, alguns de curiosidade — quem era aquela moça? —, outros de puro deleite — que bela mulher!

Na porta, uma jovem da idade dela, não devia ter mais de 25 anos, esperava com um bebê no colo. Cumprimentou Ioná em meio aos gritos com outros dois pequeninos que não paravam de correr. A peruca lisa, com franja, não diminuía a exuberância de Rifka, mulher do rabino Ariel. Era alta e magra. Tinha uma vivacidade que escorregava pela voz vibrante, com sotaque francês carregado. De imediato deixou Ioná à vontade e a levou para a área das mulheres, na parte de trás da sinagoga. Sentou-a em uma das dezenas de cadeiras de plástico mal-alinhadas.

Uma cortina de pano separava o grupo dos homens que se preparavam para começar a reza na parte da frente.

Depois de mais de duas horas, entre o serviço religioso e o costumeiro comes e bebes na varanda da casa, em que Ioná foi pega de surpresa pela calorosa recepção — tão diferente da experiência em Recife —, pôde finalmente falar sobre o que a levara até ali. Não foram necessárias maiores introduções. O rabino tinha trabalhado, há poucos anos, com os marranos de Belmonte, em Portugal. Conhecia bem as reivindicações e os obstáculos com os quais se depararam. Foi direto à questão.

— No início dos anos 90 — falou em tom professoral, mas sem pedantismo — chegaram à cidade portuguesa rabinos de Israel. Vieram para restaurar as heranças judaicas deste núcleo que resistiu por séculos, desde a Inquisição. Fundaram uma sinagoga ortodoxa e converteram todos os que quiseram voltar oficialmente à religião dos antepassados. Só mais para a frente é que se estabeleceu um tribunal rabínico para realizar as chamadas conversões de dúvida, semelhante ao que se fez com os judeus etíopes que voltaram para Israel na década de 1980 reivindicando a descendência das dez tribos perdidas. Foi o mais próximo que se conhece por retorno no mundo atual — pôs um ponto final ao mesmo tempo que levantava as sobrancelhas como que dizendo: não tem outra solução.

Apesar da dureza do discurso, Ioná sentiu-se estranhamente cúmplice do religioso. Talvez por achar que a presença dela provocava mais tristeza do que incômodo. O breve silêncio foi quebrado pelo rabino. Confessou a Ioná que a passagem por Belmonte mudara para sempre sua vida.

— Eles tinham aquela religião lá de dentro, do fundo do coração, eu e Deus, sabe? — bateu a mão no peito e, em seguida, apontou para cima.

— Mas isso não basta, não é, rabino?! — A pergunta saiu em tom afirmativo.

Um novo silêncio foi a resposta.

No dia seguinte, domingo, voltou à sinagoga. Falou da árvore genealógica, dos costumes, do símbolo que remetia ao *shin* no oratório.

— Se o judeu é o filho de uma mãe judia, e eu tenho na minha família a herança matrilinear que remonta a mais de trezentos anos — comprovada pela genealogia —, com costumes e tradições passados de geração em geração, então eu tenho direito a retornar à religião de meus antepassados sem uma conversão!

— Eu te entendo — disse o rabino em tom conciliatório. — Você sabe que é judia, é a sua voz lá de dentro, mas o reconhecimento, de fato, você não tem.... — encarou Ioná fundo, nos olhos. — Mas você não me procurou para saber se eu acho que você é judia ou não! Você quer saber como ser reconhecida pela comunidade ortodoxa, certo?

Ioná assentiu com a cabeça. Não estava em jogo o judaísmo dela, mas o reconhecimento deste judaísmo.

— Na literatura rabínica do século XVI — iniciou a explicação — nasceu esse status que se chama de *teshuvá* — retorno para judaísmo — porque os grandes rabinos que tomavam decisões naquela época eram espanhóis, alguns descendentes de conversos. Eles conhecem os problemas de seus irmãos e familiares que vinham da Península Ibérica para a Holanda, para a França, para a Inglaterra... e a solução a que se chegou é que quem era descendente de judeu — mesmo que nascido depois de duas ou três gerações dentro de uma família cristã — tinha o direito de ser reconhecido como judeu de fato. A pessoa já era um judeu potencial, mas tinha que oficializar este direito. Para isso, passava por um *micvê* — um banho — para se livrar das impurezas da conversão forçada. Mas era um banho diferente do que se dá na conversão do gentio. Não era acompanhado de uma *brachá*, uma bênção, porque ele já era um judeu e só estava se livrando de sua condição anterior!

Ioná acompanhava atentamente o relato do rabino. O silêncio dela foi o sinal para ele continuar.

— Só que isto acontecia há mais de trezentos anos! Hoje é diferente. Passaram-se muitas e muitas gerações, houve assimilação. Os que querem voltar são casos isolados nas famílias... — fez uma pausa. — Mas, se você tem todas estas provas que me diz, então tem que procurar o tribunal para analisar o caso.

— Mas o senhor acha isto certo? Eu, e todos os outros no Nordeste e em várias partes do Brasil — já que não existe uma corte rabínica para avaliar nossos casos por aqui —, temos que nos submeter a um grupo de rabinos em Israel ou nos Estados Unidos para sermos considerados judeus? Depois do que sofreram nossos antepassados? Isto não é justo!

— Ioná, não estamos discutindo aqui a justiça, estamos discutindo a Lei judaica, a *Halachá*... quando nosso povo recebeu a Torá não tinha uma Lei especial escrita para os forçados à conversão, então a gente aplica a que existe. É a *Halachá*.

Ioná encarou os olhos pretos, bem juntos, por trás dos óculos. Aquela conversa não levaria a nenhum outro lugar que ela não soubesse.

Agradeceu e se despediu do rabino Ariel. Era a primeira de uma maratona por várias sinagogas, onde escutaria sempre o mesmo argumento. Não era ela ser ou não ser judia que estava em questão, era o reconhecimento deste judaísmo. E para isso ela teria que procurar um tribunal rabínico.

Uma tradição que remontava às sagradas escrituras. Ao dar ao povo judeu a Torá, Deus, narravam os religiosos, ordenou que se formasse um sistema de tribunais para preservar a justiça e executá-la de acordo com a Lei passada a Moisés. Cortes com autoridade total para agir em todas as áreas, fosse civil, criminal ou religiosa. Uma legislação regida pelos mandamentos divinos, acima da lei do homem.

Nos primórdios da era judaica, se criou o Sanhedrin, ou Sinédrio. Uma assembleia formada por 23 juízes que atuava em cada cidade. E havia o Grande Sanhedrin, a autoridade máxima, o poder supremo na antiga Israel. Com seus mais de setenta integrantes, julgava as grandes questões no Templo, em Jerusalém. Mas isso era passado.

Hoje em dia o que existia era o Beit Din, que seria o primeiro nível dos tribunais judaicos, composto por três juízes. Era esse o atual sistema jurídico de Israel, um Estado ainda religioso. Cuidava tanto de divórcios quanto de pequenas causas relacionadas a dívidas financeiras, furtos, ofensas pessoais, leis dietéticas, conversões... e questões como a de Ioná. O judaísmo não tinha uma autoridade máxima única, mas várias autoridades. Assim sendo, a decisão de um Beit Din, além de abrir jurisprudência, se tornava irrevogável. Se Ioná quisesse o reconhecimento oficial, teria que se submeter a um tribunal destes, em Israel ou nos Estados Unidos.

42

São Paulo
27 de março a 18 de abril de 2000

Nas três semanas seguintes Ana mal viu Ioná. Além do rabino Ariel, ela teve entrevistas com mais três rabinos ortodoxos, dois deles de origem asquenaze, seguidores da linha Chabad, e um outro sefardita, diretor de uma das principais escolas religiosas de São Paulo.

A acolhida dos religiosos surpreendeu a médica. No fundo, achava-os menos preconceituosos do que muitos judeus laicos a que fora apresentada na capital. A principal colocação daqueles que não eram ortodoxos rodava em torno da mesma questão: por que Ioná queria ser judia? Ela ia se casar com um judeu, por acaso? Para eles, esta seria a única razão que poderia motivar uma pessoa a se converter. Mas, já que ela queria tanto o rótulo — dissera-lhe um conhecido de Ana —, por que não procurava rabinos mais modernos? As vertentes conservadora e reformista faziam conversões no Brasil. Por que insistia nos retrógrados ortodoxos que só sabiam multiplicar as famílias e viviam à custa do governo de Israel e dos mantenedores de sinagogas?

Primeiro, Ioná corrigia o interlocutor. Não era conversão, não se converte ao que já se é. Era um retorno. Retorno à crença de seus antepassados. A sua busca tinha a ver com eles, um chamado da alma, uma espécie de dívida genética. Segundo, porque não teria validade. Só os retornos — e conversões — realizados pela ortodoxia é que eram reconhecidos plenamente, em qualquer parte do mundo. Era um fato.

A cada encontro, os rabinos eram taxativos: quem decidiria a questão era o Beit Din, o tribunal. Mas, quanto à hospitalidade, a escolha era dela. E as portas estavam abertas. Ganhava convites e mais convites para frequentar sinagogas, participar de *Shabats* e de grupos de voluntários. Desta forma, cada dia da semana estava preenchido, fosse com uma aula de hebraico ou culinária, fosse com uma palestra de história judaica ou cabala.

Neste meio-tempo Pedro aguardava uma resposta da arqueóloga portuguesa. Chegara a ligar quatro ou cinco vezes. "Você conhece bem a Célia!", contornava o marido. "Quando está numa escavação esquece o mundo! Mas não se preocupe, eu já encaminhei o material por uma leva de alunos!"

Pedro desligava pedindo desculpas pela insistência. Já Ana acompanhava as mudanças em Ioná com certa tensão e desabafava com o amigo.

— Estou preocupada... Não sei mais onde está a Ioná que eu conheci. Agora vive enfurnada em sinagogas, parecendo uma religiosa. E toda aquela curiosidade? Aquele apego às raízes, a busca das origens?

— Como eu queria que a Célia entrasse logo em contato! — ele rebatia eufórico. — Tenho certeza, Ana, que vamos ter uma confirmação! E que vai trazer Ioná de volta! Uma descoberta para entrar na história do Brasil! Estamos perto de uma prova documental da presença dos conversos no Sertão! Tenho tanta certeza de que estamos diante de uma grande descoberta que, por mim, embarcava agora para o sítio da Estrela!

Ana queria que Pedro estivesse certo. Mas entre querer e acreditar havia um enorme abismo. O melhor era esperar as notícias da arqueóloga. E elas chegaram. E com tal sucessão de acontecimentos que Ana nem teve tempo de realizar que, se tivessem seguido o instinto de Pedro, teriam mudado o rumo da História, com H maiúsculo mesmo.

43

São Paulo
19 de abril de 2000

Quando Pedro entrou em casa naquela véspera de Pessach, dois recados o aguardavam na secretária eletrônica. O primeiro era da professora Ethel Mendelstein. Acabara de chegar dos Estados Unidos. A bisneta era maravilhosa mas a vida acadêmica a chamava de volta. Esperava Pedro na noite seguinte para o Seder. Adiantou que Ana e Ioná também iriam e que não cabia em si para conhecer a jovem médica.

O outro recado era o que o genealogista aguardava há semanas. O coração disparou ao ouvir o forte sotaque do Alentejo:

— "Meu querido amigo! Desculpe a demora em responder-lhe. O envelope chegou-me às mãos somente hoje. Estou abismada, sem palavras. Diga-me quando, e embarco para o Brasil. Temos que isolar este sítio imediatamente! Mais informações vais encontrar no e-mail que acabo de enviar-lhe."

Pedro discou para Ana. Queria dividir com ela aquele momento tão esperado. O sinal de ocupado do outro lado da linha desanimou-o. Tentou mais duas vezes e seguiu para o computador.

Ana ficou mais de uma hora com a professora Ethel ao telefone. A segunda vez naquele dia. No início da tarde, o convite para o Seder e uma infinidade de perguntas sobre Ioná. Agora, a convocação para que a médica fosse visitá-la pela manhã. Queria conhecê-la melhor, o que seria impossível no jantar festivo. A insistência não deixava margem para um *não* e Ana prometeu levar Ioná para tomar café com a professora. Faltava apenas comunicar a médica sobre a convocação. E o argumento seria simples: para a professora Ethel, recusa era palavra fora do dicionário. O convite até que viera a calhar. Precisava daquele dia seguinte só para ela, pelo menos até o anoitecer. Tinha tomado uma decisão importante. Iria até Guarujá, a praia mais próxima, jogar as cinzas da mãe. Se o Pessach representava a libertação do povo de Israel do Egito, Ana estava iniciando a sua jornada pessoal de libertação.

44

São Paulo
20 de abril de 2000

Às 9 horas da manhã Ioná tocou a campainha em Alto de Pinheiros. Chamou de imediato a atenção o fato da casa ser totalmente devassada. Um caixote de vidro suspenso sobre um vão que funcionava como garagem, intercalado por pilares de concreto aparente e esquadrias metálicas. O jardim bem-cuidado, e sem nenhuma pretensão, separava a construção da grade de ferro vazada que a protegia da rua. Dava para perceber que as barras escuras eram aquisição recente. Ioná olhou o relógio e tocou mais uma vez. Em menos de um minuto uma senhora esguia, com uniforme engomado e os cabelos escondidos por uma touca, surgiu na porta. O sorriso que se seguiu não combinava com o tipo austero que se aproximou.

— Você deve ser Ioná! A professora está à sua espera no escritório — indicou o caminho.

Subiram um lance de escadas e atravessaram um largo corredor que dava para salas com divisórias baixas, fazendo com que praticamente todos os cômodos, com exceção dos quartos e da cozinha, fossem integrados. A arquitetura modernista contrastava com a decoração, um misto de estilos onde mesas Luís XV e sofás rococós, com estampas de cores fortes, descansavam sobre tapetes persas. E livros, muitos livros e também revistas, espalhados por todos os lados, sobre os móveis ou na estante de madeira maciça que cobria toda uma lateral do largo ambiente.

Desceram então outra escada caindo em um pátio aberto, com uma piscina em forma de ameba, rodeada de grama, e uma pequena horta de temperos. Ao fundo, um estúdio também envidraçado. Uma senhora com calças brancas de linho e camisa rosa — impecavelmente passadas — se aproximou com os braços abertos.

— Finalmente nos conhecemos! — e pegou Ioná pela mão. — A Elvira preparou um café da manhã maravilhoso! Você está se alimentando bem? Porque a Ana não come nada!

A mesa estava colocada sob a sombra de uma mangueira. Ioná estava maravilhada com estes pequenos paraísos — primeiro o esconderijo de Pedro, agora o da professora Ethel — em plena selva urbana. Não era de admirar que estas pessoas produzissem trabalhos tão interessantes. Os pensamentos foram cortados pela exuberância da elegante senhora. Ana já havia dito, mas só estando perto para entender o que era aquele dínamo. A professora tinha um campo magnético.

Em meio a pãezinhos, bolos, geleias e queijos, Ioná refez mais uma vez o longo trajeto que a levara até ali. Falou do garimpo de informações na família, das pesquisas solitárias, do mergulho nos livros, do enterro da tia, da desconfiança sobre a letra hebraica no oratório. Omitiu detalhes como o batizado na primeira sexta-feira após o nascimento — assim como o da pequena Ioná — e não citou o sítio da Estrela, santa Abigail ou a capela. Era um pedido de Pedro, até que ele concluísse a investigação paralela.

Depois de praticamente obrigar Ioná a engolir mais uma fatia da torta de banana sem açúcar — "é diet", frisou, "aproveita que daqui a pouco estas delícias vão passar longe!" —, a professora deu sinal para que Elvira tirasse a mesa. Em poucas horas começaria o Pessach e com ele a proibição de comer alimentos que fermentassem.

Puxou Ioná pela mão e seguiram para o escritório. O pequeno estúdio abarrotado de pastas plásticas organizadas por cores e números era conhecido como "torrinha", numa alusão à Torre do Tombo, em Lisboa, que guardava os arquivos da Inquisição. Praticamente todos os processos referentes a brasileiros que caíram nas garras do Santo Ofício haviam sido microfilmados e compunham aquele cobiçado acervo.

Durante duas horas, Ioná rodou trezentos anos de história através de documentos que comprovavam a presença dos judaizantes no Brasil até pelo menos o século XVIII. Homens e mulheres que foram presos no Novo Mundo e levados para os temidos tribunais em Portugal. Por aqui só houve visitações dos inquisidores. Abjuração, condenação, autos de fé. As prateleiras metálicas guardavam um capítulo pouco falado da História do Brasil. Nomes como Felipa da Fonseca, Mariana Pacheca Bezerra, Branca de Figueiroa — que aos 72 anos fora presa na Paraíba, levada a Portugal e condenada.

— Ninguém escapava das garras da Inquisição. Se não fosse a fogueira, era o cárcere por hábito penitencial perpétuo! — bradou Ethel enquanto folheava as cópias. — Já havia denúncias de cristãos-novos na Paraíba no século XVI, eles chegaram ao Brasil já na primeira colonização! Na maioria fugitivos de quando os holandeses foram expulsos, no século XVII... seguiram para o interior, para o trabalho nos engenhos de cana-de-açúcar!

Foi a vez de Ioná intervir.

— Mas e depois, professora? Estes documentos são provas históricas de que os conversos viveram no Nordeste, em Minas Gerais e em outras partes do país, até o século XVIII... aí a Inquisição terminou no início do século XIX, parte dos arquivos foi queimada — numa tentativa de diminuir a distinção entre cristãos-novos e velhos — e estas famílias de judaizantes foram de certa forma integradas na sociedade. Elas não desapareceram de uma hora para outra, concorda? E muito menos se assimilaram! O que aconteceu depois?

A professora permaneceu alguns segundos em silêncio. Os olhares, ambos azuis-violeta, se cruzaram.

— Você conhece a história mesmo! É bonito ver a juventude querendo saber do passado! Mas a resposta que você quer — infelizmente ou felizmente — é você mesma que está dando! Com o fim das prisões, dos registros, não sabemos o que aconteceu. E agora, duzentos anos depois, pessoas como você, Ioná, estão trazendo esta questão à tona! Seus relatos, sua busca, suas pesquisas é que vão preencher esta lacuna. Você é real e é fruto desse passado que ficou submerso durante pelo menos dois séculos! Você representa a história viva!

Ioná baixou o rosto para não deixar que os olhos molhados desviassem a atenção para o que ela realmente queria: fazer o gancho entre aqueles relatos adormecidos em folhas amareladas e a trajetória dos conversos depois do fim da perseguição do Santo Ofício. Ela precisava de uma ponte entre os séculos. Ioná não queria tocar na questão religiosa, pois já havia sido avisada, por Ana, das ressalvas da professora. Mas de nada adiantou o silêncio. O assunto surgiu no momento seguinte.

— E o que eu acho uma lástima, do fundo do meu coração, é que você não considere isto tudo — esta memória — forte o suficiente para te guiar por outros caminhos que não o do reconhecimento da ortodoxia! Eu francamente não entendo!

Ioná optou por um sorriso tímido, não havia o que argumentar. Por que é que todos se achavam no direito de julgar e criticar as escolhas dela? A professora começou a discorrer sobre o que chamava de "judaísmos", já que para ela a religião era plural, sem uma autoridade central, bem diferente do catolicismo submetido ao Vaticano. Lembrou que em São Paulo havia pelo menos cinquenta rabinos, cada um com uma forma de agir e pensar. Ioná deixou-se levar por aquela voz vibrante que cruzou as horas até a tarde chegar. Se não fosse a interferência de Elvira dizendo que o pessoal do bufê havia ligado, a conversa — mais para monólogo — entraria pela noite. A professora olhou o relógio e soltou uma exclamação.

— Mas eu ainda não terminei! Deixa eu falar uma última coisa... para você ver que eu estou do seu lado! Eu não sou a fã número um dos ortodoxos, minha bíblia é a história! Mas vou te dizer o que eu realmente penso. Se durante três séculos uma parte da população foi perseguida, sacrificada, morta, por ser de origem judaica, eu acredito que os descendentes destas pessoas — e você é um deles — devem ser considerados judeus se assim eles o quiserem! Porque o judaísmo é mais do que a religião, é um estado da alma, um sentimento, e se você se sente judia, se existem reminiscências que te ligam a um passado judaico, então nós judeus temos que te considerar uma das nossas! Mas, como eu já percebi que o meu reconhecimento, e de gente que pensa como eu, não é suficiente para você, acho que sei como te ajudar!

Ioná arregalou os olhos. A conversa que ela havia dado como perdida seguira outro rumo bem mais interessante.

45

São Paulo
Noite de 20 abril, primeiro Seder de Pessach

Durante o curto trajeto até a casa da professora Ethel, Ana e Ioná trocaram pouquíssimas palavras. Ana sentia um misto de liberdade e abandono. Ainda guardava a sensação de lançar ao mar as cinzas da mãe. Do pó viemos e ao pó retornaremos. E em segundos o que um dia foi matéria era levado pelo vento e pelas ondas. Com o vaivém das marés, ganharia o mar aberto e outras praias, outros continentes. Gostava de pensar que, a partir de agora, uma parte da mãe estaria em cada canto de oceano do mundo. Jamais falaria sobre isso com ninguém, como também nunca dissera que havia guardado as cinzas em uma latinha de café, no fundo do armário. Chegou a acostumar-se com ela ali. Mas de nada adiantava segurar aquela latinha todos os dias achando que um dia a mãe se materializaria como o gênio da lâmpada. Era preciso libertar as duas. Em poucos minutos, Ana virou uma página dolorosa de sua história. Depois sentou-se em um restaurante de frente para a praia — aonde as duas costumavam ir quando ela era pequena — e pediu dois chopes. *L'haim*. Brindou à vida.

Já Ioná estava introspectiva desde a volta da casa da professora. Seguiu para o banho, inventou telefonemas — que não deu. Tudo para não ter que falar sobre o encontro. Ioná não gostava de mentir, ainda mais para Ana. Mas a perspectiva que a professora abrira era tão inacreditável que ela não queria comentar nada antes de tudo acertado. Teria a resposta nas próximas horas. Sua preocupação em não demonstrar apreensão era tanta que ela nem se deu conta de como Ana estava distante. E assim seguiram praticamente mudas até estacionarem alguns metros à frente da mansão.

No lado de dentro da casa o burburinho tomava todos os cômodos. Família, alunos, amigos, amigos de amigos. Judeus e não judeus. A professora não apenas abria as portas da casa. Ela escancarava. Tinha um tal poder de agregação que era capaz de unir em um mesmo grupo personalidades completamente opostas. Em menos de um minuto o ortodoxo israelense que viera com uma prima estava enganchado em uma animada conversa com o dentista de origem libanesa namorado de uma aluna do doutorado. Os dois eram apaixonados por pássaros. O tipo de informação que a professora Ethel conseguia descobrir não se sabe como. E assim, os mais diversos assuntos eram levantados para juntar as mais diversas pessoas.

Em meio a tantas rodinhas espalhadas pela casa, um homem se destacava — enquanto tentava se esconder — junto a uma das estantes. De costas para a sala, com o rosto quase que enfiado dentro de um enorme livro de arte, Pedro Vilela procurava manter o anonimato. Vez por outra virava discretamente o rosto e fazia um giro sem fixar os olhos. Aguardava ansiosamente a chegada de Ana, mas não podia correr o risco de esbarrar com nenhum conhecido. Seria o fim de sua noite. Pedro evitava participar destes jantares porque invariavelmente era cercado por gente que achava que ele tinha uma máquina de fazer árvores genealógicas escondida na manga. Tinha que repetir inúmeras vezes que um sobrenome de árvore — como Pinheiro ou Oliveira —, de bicho — como Cordeiro ou Leão — ou mesmo de região — como Miranda ou Braga — não significava necessariamente descender de uma família de conversos. Até porque muitos judeus foram batizados por cristãos-velhos e ganharam seus sobrenomes. Era só lembrar do navegador Gaspar da Gama, afilhado de Vasco da Gama, um cristão-velho.

— O termo cristão-novo — explicava em tom professoral — nada mais é do que uma expressão judicial portuguesa! Existiu até o século XVIII e servia para dividir a população em dois grupos: os cristãos-velhos, portugueses que desde sempre professaram a fé católica, e os que passaram a segui-la depois da conversão. Quando em 1774 o Marquês de Pombal baixou um decreto abolindo a distinção entre os grupos, ele ordenou a destruição das listas de sobrenomes que identificavam as famílias de conversos. Assim, ficou impossível saber quem pertencia a que grupo... Portugal era uma encruzilhada de povos, assim como o Brasil, mas com uma cultura única que também se fazia presente nos sobrenomes. Desta forma qualquer pessoa que pertencesse ao império português, fosse de origem indiana, africana, ou judaica, teria um sobrenome português. E, na ânsia de se integrar ao povo, o cristão-novo adotou todos os sobrenomes. Nos processos inquisitoriais encontramos desde o popular Silva até o incomum Bragança, da família real. Por isso, senhores, a autoidentificação; ou seja, a pesquisa dos ascendentes, dos costumes da família — que vem pela tradição oral, pelos casamentos consanguíneos — acaba sendo a forma mais confiável para se determinar a origem cristã-nova de um clã!

Mesmo assim, começava um desfile de sobrenomes que só terminava quando ele se despedia com um apressado pedido de desculpas por ter que ir embora para alimentar sua cadela. Por isso, Ana seria a salvação daquela noite. Mas por que estava demorando tanto? Ligara alguns vezes durante o dia, mas o celular estava fora de área. Queria contar sobre o recado e o e-mail da arqueóloga Célia Valaderos. Suas suspeitas haviam sido praticamente confirmadas. Para a especialista, a capela do sítio fora, em algum momento da história, um local onde judeus secretos se reuniam para rezar. Os quatro pilares centrais eram típicos das sinagogas construídas por judeus portugueses. Representavam as quatro matriarcas de Israel: Sara, Rebeca e as irmãs Lia e Rachel, filhas de Labão que casaram com Jacó. As quatro colunas definiam também a área da *bimá,* uma espécie de altar de onde se fazia a leitura da Torá. Da mesma forma, o pedaço de rocha aparente, na parede voltada para o leste, parecia ser uma clara referência, uma lembrança, da pedra fundamental do templo de Salomão. A parede que sobrou do templo era o local de maior devoção dos judeus na era moderna: o Muro das Lamentações, em Jerusalém. Fora isso havia outros detalhes, como as dimensões dos espaços internos, que a arqueóloga também acreditava que corresponderiam — guardando as proporções, já que a capela era mínima — à arquitetura das sinagogas portuguesas medievais, como a da cidade de Tomar, onde ficava o mais antigo templo judaico de Portugal.

Ainda havia muitas outras questões. Quem seria Abigail, que virou santa? Onde estaria o misterioso oratório? E a tal frase pintada na parede? E o ferro de marcar gado? Eram tantas perguntas que Pedro se perdia tentando encontrar o fio que puxaria as respostas. Mas de uma coisa tinha certeza: o ponto de partida estava no sítio da Estrela. A arqueóloga ficara tão empolgada com a possibilidade da descoberta única que estava disposta a vir ao Brasil para averiguar pessoalmente. Só precisava de dois ou três dias para se organizar e partir. Por isso a ansiedade de Pedro. Ana vibraria com a notícia. Ioná nem se fala. Primeiro contaria para Ana, para saber como eles poderiam pôr em prática a aventura. Aí os dois juntos falariam com Ioná. A surpresa coroaria esta primeira noite de Pessach. E na próxima semana estariam todos de frente para um novo capítulo da história.

Enquanto se perdia em elucubrações, Pedro fazia movimentos rápidos e contínuos, com a cabeça, em direção à escada. Quem o observasse poderia jurar que era tique nervoso. Em uma dessas viradas vislumbrou Ana. Ela não o viu, mas parecia procurar alguém. Torceu para que fosse ele. A boca entreaberta deixava transparecer o quanto aquela mulher o perturbava. Subitamente a sala pareceu vazia. Pedro seguiu reto, apressado, esbarrando em quem estivesse no caminho. A poucos metros de Ana, o suficiente para chamá-la em voz baixa, sentiu uma mão pesada segurar-lhe o braço.

— Então você já estava aqui e nem falou comigo! — o grito atravessou os ouvidos enquanto ele era praticamente arrastado para o outro lado da sala. — Ferreira, quero que você conheça um dos maiores intelectuais do nosso país!

Em poucos segundos, um instante de prazer transformou-se em pesadelo. Ana se perdeu no meio da multidão e Pedro fora caçado por seu principal patrocinador na coluna "Você sabe com quem está falando?". Não havia desculpa para inventar. Esse era o preço da sua pretensa liberdade. Podia fazer o que quisesse naquele terço de página, o "patrão" não palpitava. Mas, em compensação, toda vez que se encontravam em algum evento social, o genealogista se transformava no bobo animando a corte. E assim ficaria pela próxima meia hora e por mais duas horas, durante o jantar, quando fora colocado na mesa do seleto grupo. Foi a primeira vez na vida que Pedro sentiu vontade de esganar alguém. E esse alguém era a anfitriã da festa.

Ana não estava com cara de muitos amigos. Logo que entraram na casa, a professora Ethel puxou Ioná e desapareceu com ela no meio dos convidados. Ana suspirou aliviada. A última coisa que queria fazer naquela noite era o papel de abre-alas da jovem médica. A esta altura, a professora já devia ter contado a todos a história da descendente de cristãos-novos à procura das raízes judaicas. Ioná portanto era o centro das atenções. Ana só queria encontrar Pedro. Quando finalmente conseguiu localizar o genealogista, foi tomada pelo desânimo. Ele estava no centro de uma animada rodinha. Todos gesticulavam muito, entretidos em uma calorosa discussão. Velhos amigos, arriscou. Seguiu discretamente para o jardim. Tentaria se esconder atrás de uma árvore ou um vaso até que o *Seder* começasse. Então correria até Pedro para sentarem juntos. Mas a noite não parecia muito a favor dela. Os lugares estavam marcados. E eles ficaram em lados opostos. No caminho para sua mesa, Ana passou por Ioná, que estava acomodada entre a professora Ethel e um senhor distinto com cara de gringo. Mais tarde veio a saber que era o cônsul dos Estados Unidos.

Ana já tinha participado de outras celebrações de Pessach, mas as da casa da professora Ethel eram performáticas. A tradição era seguida à risca. Um legítimo *Seder*, no sentido literal da palavra. Quinze etapas de um ritual cumprido a partir de uma ordem estabelecida pela Lei e tradição judaica. E ordem era exatamente o significado hebraico da palavra *Seder*. Uma interessante combinação de religião com gastronomia. Nove mesas estavam distribuídas pelo jardim, cada uma com seis pessoas. No centro, um mesa um pouco maior com uma confortável cadeira na cabeceira e mais oito lugares. David, o sobrinho preferido da professora, conduziria a celebração fazendo as orações e as leituras da *Hagadá*. Normalmente o papel cabia ao dono da casa, mas o anfitrião costumava dizer que se ele conduzisse a cerimônia iriam confundi-lo com o próprio Moisés, por isso passara o bastão ao sobrinho. Em torno do rapaz sentavam-se as crianças, estrelas da festa. Desde os tempos mais remotos o *Seder* tinha importância de destaque nos lares judaicos. Cheio de metáforas e simbolismos, reunia a família em torno da recriação do momento de libertação do povo judeu. A saída do Egito. Pessach significava passagem para a liberdade. E assim, a partir dos preceitos da Torá, a saga era revivida e contada de geração a geração, para que jamais se esquecesse que aquela noite fora diferente das outras. Os mais velhos narravam aos mais novos a história do êxodo de uma forma tão lúdica que a criança, desde cedo, aprendia com o passado a ter esperança e fé para enfrentar o futuro. E seu destino de judeu.

Quando os mais de cinquenta convidados estavam devidamente acomodados, o leve toque de um garfo contra o cálice de metal foi o suficiente para abafar o burburinho. Em poucos segundos, todos se levantaram. A festa ia começar.

Todas as mesas tinham a chamada *Keará*, um prato com os símbolos de Pessach. O osso de carneiro, como lembrança do cordeiro pascal sacrificado na época do Templo; um ovo cozido representando as oferendas festivas; ervas amargas, uma recordação da amargura da escravidão no Egito; uma mistura de maçã, nozes, tâmaras e vinho, cuja cor evocava o barro usado no trabalho forçado nas construções egípcias; *karpás*, um tipo de verdura como salsão ou aipo, para ser molhada em água salgada, simbolizando as lágrimas do povo escravo. Completando a mesa, a *matzá*, um tipo de pão sem fermento, quadrado e fino como uma folha. Havia três, dispostas uma sobre a outra, mas separadas entre si, representando as três castas do povo judeu: Israel, Levi e Cohen.

David fez a bênção inicial e o primeiro dos quatro cálices de vinho da noite foi tomado. Em seguida lavou as mãos.

— O vinho deve ser bebido conforme o ritual, no máximo em dois goles, inclinando o corpo para a esquerda e para trás! — A pequena regra cruzou o ar na voz potente da professora, o que tornava a cerimônia mais divertida.

— Quatro, aliás, é um número recorrente no *Seder*! — completou o sobrinho. — Representa as quatro formas como Deus prometeu libertar o povo hebreu — e impostou a voz teatralmente. — Eu vos libertarei do jugo dos egípcios, vos livrarei da servidão, vos redimirei de braços abertos e vos tomarei por meu povo!

Molhou o salsão na água salgada e recitou mais uma bênção antes de comer. Os convidados repetiram o gesto. Partiu então uma das três *matzot*, a que estava no meio. O pedaço menor foi colocado de volta entre as outras duas. Já o pedaço maior foi embrulhado e escondido: era o *afikoman*, que seria comido mais tarde, durante a sobremesa.

Abriu então a *Hagadá* e iniciou a narração do êxodo do Egito, a parte principal do *Seder*. Em seguida, foi a vez da criança mais nova roubar a cena com as quatro perguntas sobre o sentido daquela cerimônia. A resposta para todas era praticamente a mesma: "Nós fomos escravos do Egito." Neste momento foi servida a segunda taça de vinho. Os convidados inclinaram levemente o corpo e beberam. Uma outra criança, um pouco maior — e que tinha feito as perguntas no ano anterior —, abriu uma das portas que dava para o jardim para que o profeta Eliahu — Elias — pudesse visitar a casa. Segundo a tradição, o convidado invisível abençoava os lares judaicos nesta noite. Pelo mesmo motivo se mantinha uma taça de vinho cheia na mesa. Havia gente que dizia que um velho costume do brasileiro, o de dar um gole de bebida para o santo, vinha daí. Era mais uma herança dos conversos. O santo seria o profeta. Como manter uma taça cheia, aparentemente sem dono, poderia denunciar um judaizante, jogava-se um pouco da bebida do próprio copo no chão. Uma tradição festiva que acabou incorporada no dia a dia.

David continuou o ritual erguendo os pedaços de *matzá*. Mais uma bênção foi feita antes de serem partidas e distribuídas nas mesas. Deu então seguimento à leitura da *Hagadá* e cada vez que uma das dez pragas do Egito era mencionada, os convidados mergulhavam o dedo no vinho e derramavam uma gota. Uma forma de lembrar o sofrimento do povo de Israel. Da mesma forma as especiarias iam sendo praticamente engolidas, à medida que os trechos eram recitados. Como uma orquestra bem ensaiada, os convidados inclinavam o corpo levemente e comiam. Ioná já havia comemorado o Pessach com a família de Daniel. No fundo era a mesma celebração. Mas sentada ali, ao lado da professora, observando a multidão sincronizada, sentia-se no meio de um espetáculo onde todos os atores sabiam bem o seu papel.

Entre conversas animadas, o jantar foi servido. Os garçons passavam pelas mesas bandejas com iguarias. O patê de fígado de galinha veio junto com *matzá* quentinha e o *gefilte fish* — peixe moído — em bolas redondas e pequenas. Já o caldo de frango, em cumbucas do tamanho de xícaras de chá, com cubinhos, também de *matzá*, boiando. A quantidade era pouca para que se pudesse comer de tudo. Depois foi a vez da vitela ao molho madeira com batatas cozidas. Ana preferiu a outra opção, o robalo com ervas. Os que vestiram o espírito da festa continuaram a cair para a esquerda a cada garfada, conforme lembrava o mestre de cerimônias. Pouco antes da meia-noite foi servido um bolo de amêndoas e damascos, feito sem farinha. E finalmente o *afikoman*, o pedaço de *matzá* que havia sido escondido no início do jantar.

Neste momento, foi a vez do marido da professora Ethel bater com o garfo na taça. Os cálices foram novamente enchidos e entornados depois que o dono da casa fez a bênção de encerramento. Os convidados aplaudiram e os mais religiosos entoaram salmos e cânticos enquanto o quarto e último copo de vinho da noite foi servido. O jantar finalmente acabou com os mesmos votos de todos os anos.

— *LeShaná HaBa'á B'Yerushalaim* — gritou David.

— Ano que vem em Jerusalém! — repetiu a professora Ethel, acompanhada pelo coro.

Pedro aproveitou o clima de confraternização para deixar a mesa de fininho. O jantar fora um massacre, estava com torcicolo de tanto virar o pescoço para comer e beber. Se estivesse ao lado de Ana, provavelmente estaria se sentindo leve e aberto a mais uma taça. Mas com aquelas companhias sugando todos os seus neurônios sentia-se como o faraó atacado pelas pragas no Egito. Contornou o jardim para não correr o risco de esbarrar com mais nenhum conhecido ilustre. Avistou Ana ainda sentada, sozinha, balançando displicentemente o guardanapo de pano. Aproximou-se por trás e tapou os olhos dela.

— Ano que vem em Jerusalém! — O bom humor dele tinha voltado.

Deu um beijo na testa dela e continuou.

— Você acredita que a professora me colocou na mesa do patrocinador da coluna e eu tive que aguentar o papo mais chato da minha vida a noite toda?! — enquanto falava segurou o braço de um garçom que passava logo atrás e pediu que esvaziasse a solitária garrafa da bandeja.

— Nós merecemos um brinde! — As taças se tocaram e viraram ao mesmo tempo.

Só então Ana falou.

— Eu também confesso que fiquei perdida nesta mesa. Mas achei que você estava se divertindo. Já Ioná parece que fez novos amigos — e apontou para a médica, entretida em uma conversa no outro lado do jardim.

— Me divertindo? Eu estava quase cometendo *harakiri*! Cheguei cedo para encontrar você! E você não aparecia! Estou cheio de novidades! Vamos até o escritório da professora?

Os dois seguiram para o pequeno estúdio no fundo do jardim. Ioná viu quando se afastaram. Em cinco minutos iria atrás deles. Mal conseguia conter a alegria. Ana e Pedro tinham que ser os primeiros a saber da novidade.

46

Foi tudo muito rápido. Pedro mal tinha acabado de contar para Ana as novidades da arqueóloga Célia Valaderos e a perspectiva da vinda dela ao Brasil quando Ioná invadiu o escritório.

— Eu queria que vocês fossem os primeiros a saber! — gritou ela.

— Nós também temos novidades! — rebateu Ana.

— Estou indo para Nova York! Vou ser recebida por um *Beit Din*! Eu consegui, Ana! Eu consegui! — e correu para abraçá-la.

Ana e Pedro se entreolharam. As palavras sumiram. Aquilo não estava nos planos. Ana foi a primeira a falar.

— Mas como? Agora?! Você não tem nem visto! — a voz saiu derrotada.

Ioná estava tão feliz que nem percebeu o desânimo da jornalista.

— Pois esta foi a boa notícia da professora Ethel! Quer dizer, mais uma boa notícia! O dia todo de boas notícias! — vibrou com um sorriso escancarado na boca.

Os dois permaneceram mudos, encarando Ioná, que disparou a falar.

— Desculpa, Ana, por eu não ter comentado nada com você... mas eu queria ter certeza! Hoje à tarde a professora acenou com a forte possibilidade de eu ser recebida por um tribunal rabínico em Nova York. Eu disse que iria ontem, se fosse possível! Então ela ligou para um amigo rabino, de uma organização chamada *Amishav* — que conhece a história dos conversos — e falou sobre meu caso... na minha frente... assim como estou na frente de vocês agora. Sabe a coincidência? Ele estava em Nova York, naquele momento, justamente conversando com um rabino qualificado para compor um tribunal e que se dispôs a me receber. E sabe o que a professora fez? Marcou uma entrevista para mim, na semana que vem, logo depois do fim do Pessach! Não é incrível?

Ana não conseguia esconder o descontentamento. Sentia-se péssima, pois sabia como aquilo era importante para Ioná. Mas, ao mesmo tempo, deixar de ir ao sítio da Estrela agora? Eles estavam tão próximos de uma descoberta que poderia mudar o rumo da história dos cristãos-novos no Brasil. Se a capela tivesse realmente funcionado como sinagoga, poderia trazer revelações que certamente ajudariam e muito a causa de Ioná e de outros que também procuravam a origem judaica. E talvez ela não precisasse mais recorrer a um tribunal. Os rabinos é que viriam atrás dela. Insistiu na pergunta feita há pouco:

— Mas e o passaporte? E o visto? Não é nada fácil entrar nos Estados Unidos!

— É o destino, Ana, está do meu lado! — respondeu Ioná agitada. — Uma semana antes de te conhecer fui assaltada em Recife e levaram minha identidade. Dei queixa mas não tive tempo de fazer a segunda via... foi aquela correria que você sabe... quando vim para São Paulo achei mais seguro trazer o passaporte, já que estava só com a carteira de motorista... parece que eu estava prevendo... Já o visto, isto sim foi incrível! A professora Ethel me fez uma surpresa! Sabe o senhor que estava ao meu lado no jantar? Pois ele é o cônsul dos Estados Unidos. Ficou comovido com a minha história e agendou uma hora para amanhã à tarde... depois é só comprar a passagem e embarcar!

As palavras saíam atropeladas. Ana nunca vira Ioná tão empolgada. Contou que a hospedagem também estava resolvida. Iria ficar na casa de Eva, uma amiga brasileira da professora, viúva de um tradutor das Nações Unidas que morava nos Estados Unidos há mais de quarenta anos. Ela receberia Ioná com todo prazer. Depois reconstituiu com detalhes a conversa da professora com o rabino. Ela havia ligado com o pretexto de desejar *Chag Shameach* ao velho conhecido, mas já tinha em mente o pedido. Já a presença do cônsul fora coincidência! Ele não era judeu, mas muito amigo de um primo da professora e curioso para participar de um Pessach no Brasil. O convite já havia sido feito bem antes de Ioná aparecer em São Paulo.

Quando finalmente a médica deu uma parada e encarou os dois, foi que percebeu que havia algo errado. Nem Ana nem Pedro pareciam vibrar com a novidade.

— Que cara de enterro! — exclamou. — Aconteceu alguma coisa? O que é que vocês tinham para me contar?

Os dois baixaram a cabeça. Não conseguiriam dissuadi-la da viagem. Só restava esperar que Ioná voltasse logo de Nova York.

Parte 3

Cinco dias depois...

47

Manhattan, NY
25 de abril de 2000

— *Have a nice stay*! — disse o oficial da imigração enquanto carimbava o passaporte de Ioná. Em menos de dez minutos ela estava na fila do serviço de traslado do aeroporto JFK. Seguira à risca as instruções da professora Ethel. "Respostas curtas e diretas, não esqueça! Primeira vez, viagem de turismo, endereço da Eva... sem mais explicações!"
    Ainda estranhava o terninho bege, emprestado de Ana, e a mochila preta básica de grife. O tênis no pé completava o visual chique descontraído. A única bagagem era a mala de mão, que embarcou com ela. A médica do interior da Paraíba parecia uma jovem executiva paulistana que viajava para Nova York como quem ia para o Rio de Janeiro.
    O céu claro sem nuvens e a temperatura amena só contribuíram para que aquela segunda viagem — cerca de uma hora até o centro — fosse mais agradável. Riu sozinha ao cruzar a Manhattan Bridge. Se contassem a ela, há dois meses, que estaria em Nova York, no fim de abril, prestes a ser recebida

por uma corte rabínica, Ioná mandaria internar a pessoa. O trânsito lento — já naquela hora da manhã — lembrava o de São Paulo. Conseguiu ver o topo do Empire State Building. O corpo sentia o cansaço da noite insone, mas a mente não parava. A conversa com Ana no dia anterior não saía da cabeça. Colou o rosto no vidro da van e fechou os olhos. A despedida deixara várias arestas a aparar. A jornalista fez de tudo para que Ioná adiasse a viagem. Mas a médica estava determinada. Afinal, o sítio da Estrela estava no mesmo lugar há trezentos anos, não haveria de desaparecer agora! Ela não entendia a pressa de Ana. Em uma semana, no máximo dez dias, estaria de volta. Sabia de casos em que bastava apenas uma sessão no tribunal. De qualquer forma ela nem poderia ficar muito tempo fora do Brasil. As economias estavam acabando e ela tinha uma vida a seguir. Passar para uma residência, iniciar realmente a vida profissional, ter uma casa definitiva... e um amor com quem dividi-la.

A conexão era inevitável. Onde estaria Daniel naquele exato instante? Pensar que uma outra pudesse tocá-lo, beijar os lábios carnudos, sentar ao lado dele no cinema, ou mesmo em uma biblioteca no meio de livros empoeirados, era mais do que uma possibilidade, era praticamente uma certeza. Imagens que provocavam tristeza, simplesmente. Uma dor leve e contínua que ela achava que levaria por toda a vida. Não morreria por causa disso. Os anos iam passar e ela encontraria alguém, mas ninguém como ele. Ninguém que a fizesse não pensar no passado ou no futuro. Esse era Daniel. Era o momento.

Uma buzina fez Ioná abrir os olhos. Deu um leve sorriso para o japonês que disparava a máquina ao lado dela. Mesmo que não houvesse nenhum dos famosos *skylines* de Manhattan para registrar... apenas as laterais da ponte e um tráfego intenso. A primeira coisa que iria fazer quando chegasse ao apartamento de Eva seria ligar para Ana e pedir desculpas. Dizer que entendia a importância de voltar ao sítio — e que no fundo achava bem maior do que estar ali, onde estava. A escolha que ela fizera era egoísta, era movida por uma necessidade pessoal, um pouco de raiva, um pouco de prepotência, não podia dar o braço a torcer depois de todo esse caminho. Os ortodoxos iriam reconhecê-la e ela mostraria a todos que lhe bateram a porta que eles tinham que aceitá-la.

Na última conversa com Ana, antes de embarcar, Ioná não expusera os argumentos desta forma e a jornalista foi dura com ela. Ioná estava deixando de lado o que de mais puro e verdadeiro havia em sua busca, o que fizera Ana se encantar. Estava se tornando tudo que sempre repugnara.

— Ioná — a voz de Ana ainda soava forte em seu ouvido. — Você virou um deles! Nós temos a oportunidade de provar que a sua família se manteve fiel à religião, chegou até a construir uma sinagoga no meio do nada! Você ganhou seu nome de acordo com a tradição judaica... e o oratório, tenho certeza, está com tio Elias! Você não precisa de uma corte rabínica pra te dizer isso! Uma arqueóloga vai avalizar! É a história, Ioná! São provas, são os rabinos que virão até você! Se não formos para o sítio agora, pode ser tarde! Tio Elias é o último elo!

Mas Ioná fora intransigente. No máximo em duas semanas estariam em Estrela. Ana podia marcar a vinda da tal Valaderos ao Brasil. E fez até uma promessa.

— Se eu não voltar em uma semana, dez dias, prometo ligar de onde estiver para o primo em Córrego e pedir que leve vocês ao sítio! — falou decidida.

Mas não foi suficiente para Ana mudar de ideia. A jornalista insistiu para que Ioná a deixasse seguir com Pedro e a arqueóloga para o Sertão, imediatamente. Prometeu que manteria a missão em sigilo e que não abririam para ninguém as descobertas que viessem a fazer. No calor da discussão, a médica segurou Ana pelos braços e chegou a ser ríspida. Fez a jornalista jurar que não faria nada até que ela deixasse Nova York. Ana fez mais duas ou três tentativas. Na última, apelou para o sobrenatural. Ela tinha uma sensação, alguma coisa lá dentro, que dizia que, se não fossem logo até lá, tudo podia se perder.

— Isso já é apelação! — retrucou Ioná. — Você sabe que eu sou supersticiosa, que venho de uma família de supersticiosos... é golpe baixo!

— Juro, Ioná, que eu não falei com este intuito! Eu estou sendo verdadeira! Eu sinto realmente isso... mas, se você não acredita, não posso fazer mais nada. Boa viagem e não se esqueça de que estarei sempre do seu lado, apoiando suas escolhas. O táxi vai estar aqui em uma hora... deixei uma roupa separada para você embarcar... não amassa e vai te servir na Big Apple!

As palavras foram seguidas de um abraço. Olhando, agora, para trás, Ioná tinha dúvidas se fizera a melhor escolha. E se o que Ana sentira fosse realmente uma premonição? Mas, por outro lado, tudo estava a favor da viagem. O roubo da carteira de identidade às vésperas de vir para São Paulo. Só por isso ela estava com o passaporte, que aliás nunca tinha usado. Fora tirado um ano antes para uma viagem a Cuba que não aconteceu. E a coincidência do cônsul americano no jantar de Pessach? Não era mais um sinal? Para não falar do encontro com a professora, uma pessoa nada religiosa, que conhecia justamente um rabino ligado a um tribunal em Nova York! Ioná afastou os maus pensamentos. Colocando na balança, o destino pesava mais para a escolha que ela tinha feito. Não teve mais tempo para pensar na questão.

— *Fifth Avenue, and that is Washington Square... here you are, madam! Enjoy your trip!** — falou o motorista da van enquanto punha a pequena mala de Ioná na calçada e esperava uma gorjeta. Ela puxou uma nota de cinco dólares e ele se despediu sorridente. Ioná olhou à frente e acima. Conferiu o endereço. Era um prédio alto, com um toldo que cobria a entrada para os carros. Nada parecido com o que ela imaginara... algo com quatro ou cinco andares, sem elevador, e um zelador que às vezes respondia ao interfone. Mesmo que morasse na famosa Quinta Avenida, Eva era viúva de um tradutor das Nações Unidas.

Em menos de dez segundos, um senhor de meia-idade, uniformizado, com quepe e luvas, pegou a bagagem e indicou a portaria. O primeiro pensamento que veio à cabeça de Ioná foi que teria que desembolsar mais cinco dólares.

---

*Quinta Avenida, e ali é Washington Square... Chegamos, senhora! Aproveite a viagem!

48

— Ethel não me disse que eu receberia uma moça tão bonita e elegante! — o elogio agradou Ioná, que também se surpreendeu com a senhora que a hospedaria naquela inesperada viagem.

Eva era alta para seus 80 anos e tinha o corpo típico de quem se exercitara por toda a vida e não dispensava a boa caminhada das manhãs. Mais tarde Ioná ficou sabendo que ela nadava três vezes por semana e bebia uma taça de vinho tinto todas as noites. O cabelo castanho estava preso em um coque que deixava transparecer os fios brancos à espera da tintura. O que chamava a atenção eram as mãos grandes, com veias que sobressaíam da tez clara. Gesticulavam com firmeza. As poucas paredes do apartamento de sala, banheiro, uma microcozinha e um jardim de inverno transformado em quarto — com uma cama de solteiro e uma mesa de cabeceira abarrotada de livros e recortes de jornal — estavam cobertas por telas enormes criadas por aquelas mãos. De relance, viu a roupa de cama sobre o sofá. Era ali que ela dormiria nos próximos dias.

A professora Ethel havia dito que Eva fora um dos expoentes da pintura no Brasil, na década de 1940. No início dos anos 1950 foi estudar em Nova York. Tinha pouco mais de 30 anos e — como definiu a professora — era uma mulher do mundo. Conheceu o marido da maneira mais provável — e talvez a única possível para uma pessoa tão focada no trabalho. Era o vizinho de porta, dez anos mais velho que ela. Um judeu nascido na Alemanha que sobrevivera ao holocausto da mesma maneira com que passara a ganhar a vida. Escapara dos campos de concentração devido ao admirável domínio que tinha das línguas, do russo ao inglês, passando pelo ídiche e romeno, língua materna de sua mãe. Também o ajudara o sobrenome cristão do pai. Fizera de tudo um pouco. Contrabandeou armas e comida, foi jardineiro de um oficial da SS de alta patente, falsificou passaportes que salvaram vidas. Ao fim da guerra, atuava como tradutor na Torre de Babel que viraram os centros de refugiados. Trabalhou para os russos, os ingleses, os americanos. Em janeiro de 1946 testemunhou e participou, em Londres, da Primeira Assembleia Geral da recém-criada Organização das Nações Unidas. Para cruzar o Atlântico, foi um pulo. Uma vez em Nova York, que veio a se tornar a sede da ONU, fincou raízes e estabeleceu, no meio de tantas bandeiras, sua verdadeira pátria. Jamais voltou à Europa.

A história do marido, bem como o encontro dos dois entre xícaras de açúcar e pacotes de chá — sempre em falta na dispensa dele, ou dela —, foi narrada durante o café da manhã, com direito a ovos sem bacon e salada de frutas vermelhas, para o qual Eva fez questão de convidar Ioná. A bem da verdade, naquele momento, o que a médica mais queria era um bom banho e algumas horas de sono. Mas o convite fora tão inesperado e atencioso que era impossível recusar. Deixou a mala em um canto e seguiram para o simpático café repleto de estudantes da NYU, a New York University, que ficava nas redondezas.

— E aí — continuou Eva enquanto devorava um bagel com muita manteiga — tivemos nosso menino!

Ioná sorriu, salivando para o pedaço que acabava de ser devorado a sua frente. Mas não podia comer nada fermentado até o fim do Pessach, dali a dois dias, véspera do *Shabat*. Depois que o dia sagrado terminasse viria o momento mais esperado desta jornada. No sábado tinha entrevista com os rabinos. Eva percebeu o olhar de cobiça e foi rápida na resposta.

— Eu vou te confessar... eu e Herman nunca fomos religiosos... acendíamos as velas na sexta-feira — como faço até hoje —, mas não deixávamos de trabalhar aos sábados nem de andar de carro ou elevador! Quanto às regras de alimentação, então, Herman fugia delas! Disse que havia passado muita fome para fazer jejum ou dispensar as massas no Pessach! Mas virava bicho se escutasse qualquer piada sobre os ortodoxos, defendia o judaísmo como uma cultura, os judeus como um povo. E foi assim que criamos nosso Abraham — homenagem a Lincoln, não ao patriarca, frisava o Herman! "Temos um filho americano, Eva, que poderá ser o que quiser, independente de seu credo!"

— E ele mora por aqui?

— Ele mora em Vermont, em uma bela casa, com a terceira mulher e meu neto caçula! Tenho mais três netos... dos outros casamentos! Mas ele tem um apartamento perto do meu — Eva fez uma pausa enquanto devorava o último naco de pão.

— Aliás, você deve ter percebido que para uma pintora viúva de um tradutor eu moro muito bem...

Ioná assentiu com a cabeça. Tinha realmente se surpreendido com o endereço cinco estrelas de Eva.

— Foi um presente do Lincoln: virou seu apelido em casa! — frisou ela. — Meu filho é um dos mais bem-sucedidos advogados de Nova York, e antes que algum pensamento perverso lhe passe pela cabeça, já adianto... não trabalha para a máfia, nem para traficantes de drogas! — ela riu para quebrar qualquer mal-estar.

Ioná estava encantada com aquela senhora sem meias palavras e papas na língua. Narrou então sua tortuosa trajetória de forma resumida mas sem esquecer os detalhes que a tornavam tão intrigante. Sentiu que podia confiar em Eva e falou sobre o oratório, a capela e a tia que morrera deixando o mistério no ar.

Foi aí que Ioná ficou sabendo como a professora Ethel havia conhecido o rabino Samuel Medina e por que ele havia atendido tão prontamente ao pedido de encaminhar a jovem médica aos rabinos do tribunal. O filho de Eva, para todos Abraham Rosenthal — que não tinha nem 50 anos de idade —, era um dos maiores benfeitores da comunidade. Havia criado a Fundação Herman Rosenthal, em homenagem ao pai — para apoiar projetos, distribuir bolsas de estudos, patrocinar reformas, enfim, tudo que se relacionasse às minorias nos Estados Unidos, judeus, muçulmanos, negros, latinos. A *Amishav* — uma organização que procurava os descendentes das dez tribos perdidas e vinha se mobilizando com a causa dos marranos — fazia parte da lista de beneficiados da Fundação. O rabino Medina era um dos dirigentes.

Ioná escutou a história boquiaberta. Pela primeira vez na vida sentiu que o mundo conspirava a seu favor. Eva pediu a conta e não deixou que a médica tocasse na carteira.

— Você é minha convidada, se esqueceu? Está cansada ou quer dar uma volta? A redondeza está cheia de endereços que vão te interessar muito!

Ioná saltou da cadeira e puxou a de Eva para que ela se levantasse. A resposta estava dada.

49

O sol já estava alto quando Eva e Ioná cruzaram a Washington Square e viraram à esquerda na 8th Street. A curiosidade aumentava à medida que avançavam pela rua arborizada e de prédios mais baixos e geminados, diferentes dos arranha-céus da Quinta Avenida. Na esquina entraram à direita, na Sexta Avenida. Eva não dava pista de onde iam. Falava sobre a vida de aposentada em Manhattan, do neto mais velho que estudava medicina em Harvard, das saudades do Brasil. Ioná fingia prestar atenção e apertava o passo para que chegassem mais rápido ao destino. Andaram três quadras e, na 11th Street, viraram novamente à esquerda.

— Chegamos! Não é incrível? Quase duzentos anos e ele resiste firme e forte! — exclamou Eva apontando umas poucas lápides espetadas na terra sob o mato malcuidado, protegidas por um muro baixo de onde subia uma grade de ferro. — É o segundo cemitério dos judeus de origem portuguesa que ajudaram a fundar Nova York!

Ioná levou as mãos à boca. Aquilo era incrível! Espremido entre prédios, como um apêndice da calçada, descansava parte da história daqueles que deram origem à maior comunidade judaica do mundo fora de Israel.

— O primeiro cemitério — continuou Eva — fica na parte baixa da ilha, em Chinatown. Foi fundado ainda no século XVII, alguns anos depois da chegada dos judeus fugidos do Recife — como você bem sabe — em 1654! Já este aqui é de 1805 mas foi desativado com menos de trinta anos... e parte dele destruída por causa das obras de expansão que cortaram a 11th. Muitos corpos foram transferidos para um outro cemitério da comunidade portuguesa, o terceiro, que fica a dez ruas daqui, na 21st. Resistiu até meados do século XIX... por volta de 1850 a prefeitura proibiu enterros em Manhattan... a partir daí os cemitérios foram para o Queens, do outro lado do rio!

Ioná se aproximou da grade e tentou identificar os nomes nas lápides quase encostadas na parede de tijolos avermelhados. Haviam sido apagados pelo tempo. Sentiu vontade de pular a grade para colocar uma pedra em cada uma e rezar pelos mortos.

— Sabe que este lugar tem algumas curiosidades? — prosseguiu Eva. — Uma amiga me contou que Woody Allen — ainda no início da carreira — morava aqui do lado! Não sei para que serve esta informação, nem se é verdadeira, mas gosto de passar adiante! — concluiu enquanto pegava a mão de Ioná. — Agora vamos continuar o tour!

Seguiram de braços dados — parecendo neta e avó — pela Sexta Avenida, e cinco ruas depois viraram à direita na 16th Street. No número 15 ficava a Sephardic House. Era o braço cultural da Congregação Shearith Israel, a primeira congregação judaica fundada em Nova York e em todos os Estados Unidos.

Uma história que tinha começado no Brasil há quase 350 anos. Cerca de 150 famílias, por volta de quatrocentos judeus, viviam em Recife na época da capitulação holandesa. No dia 26 de janeiro de 1654 as tropas portuguesas atacaram a cidade sob o comando do general Francisco Barreto de Menezes, que ficou conhecido como o "restaurador de Pernambuco". No dia seguinte os batavos assinaram a rendição. Foi o fim do domínio holandês e o início de uma nova saga para os judeus que viviam no Nordeste do país. Os termos da rendição davam três meses para os holandeses deixarem o território reconquistado. Neste período não poderiam ser molestados ou desrespeitados. O general Barreto de Menezes surpreendeu ao demonstrar tolerância aos cristãos-novos portugueses que haviam retornado ao judaísmo. Em um documento firmado pelo próprio general, em abril do mesmo ano, só era permitido que ficassem por mais tempo no Brasil os judeus que nunca haviam sido batizados. Desta forma, os conversos que retornaram à religião judaica durante o domínio holandês teriam que ser entregues ao Santo Ofício. A Inquisição não perseguia judeus, mas os que depois de convertidos — mesmo que contra a vontade — continuavam fiéis ao judaísmo. Barreto de Menezes não podia lutar contra os inquisidores. Mas permitiu que os retornados deixassem o país ao colocar 16 navios à disposição das famílias, já que as embarcações holandesas não eram suficientes para todos que tinham que partir. O destino era Amsterdã. Mas um dos navios, o *Valk*, foi capturado por piratas espanhóis no Caribe, perto da ilha de Cuba. Nele viajavam 23 refugiados. Ninguém sabe ao certo o que realmente aconteceu, mas a versão mais difundida é de que o grupo — entre eles crianças e mulheres — foi resgatado pelo navio francês *Santa Catarina* e levado para Nova

Amsterdã, então dominada pelos holandeses. No dia 7 de setembro de 1654 chegaram ao destino que, duas décadas depois — e algumas batalhas —, ganharia o nome definitivo de Nova York sob controle da Inglaterra.

A recepção não foi nada calorosa. O então governador, Peter Stuyvesant, representante da Companhia das Índias Ocidentais, era um protestante fervoroso. Se dependesse de sua vontade, nem poriam o pé em solo americano. Stuyvesant redigiu uma petição à Holanda em que recomendava que os judeus fossem convidados a partir, alegando que a "raça desgraçada" — inimigos que blasfemavam o nome de Jesus Cristo — iria infectar e causar muitos problemas na nova colônia. A Companhia recusou o pedido do governador e permitiu a entrada — e permanência — do grupo, fazendo com que se tornassem os primeiros judeus a povoarem os Estados Unidos da América. A questão econômica foi o diferencial na balança. Os judeus europeus eram peça importante no comércio mundial e os dirigentes da Companhia das Índias Ocidentais não podiam — nem queriam — abrir mão destes aliados.

Ioná escutava atentamente. Eva gesticulava, franzia a testa, falseava a voz imitando o intolerante Peter Stuyvesant. As duas estavam na frente de um prédio de tijolos avermelhados e janelas gradeadas no térreo. O edifício tinha apenas mais dois andares e a fachada larga trazia um mastro espetado, com a bandeira dos Estados Unidos. Abrigava instituições como o Centro de História Judaica e a Fundação Sefardita Americana. Não havia guardas do lado de fora, mas, logo que se atravessava a pesada porta de ferro e vidro, eles estavam ali, ao lado do detector de metais. Como em praticamente todas as instituições judaicas espalhadas pelo mundo, a segurança era redobrada, tornando a visita um exercício de paciência.

Felizmente passaram rápido. Eva perguntou pela diretora da instituição, uma velha conhecida. Foi informada de que estava viajando — feriado de Pessach —, mas elas poderiam subir e marcar uma hora com a secretária. Eva queria mostrar a biblioteca para Ioná. Na fila do elevador escutou seu nome ser chamado.

— Finalmente veio nos visitar! — gritou uma senhora gorda, de pele morena, com um inglês carregado de sotaque. Era Zoe, a voluntária que trabalhava na livraria, logo no primeiro andar.

Eva puxou Ioná e se encaminhou para a amiga. Depois de um longo abraço e perguntas sobre a família, apresentou a médica.

— Esta é Ioná. Chegou hoje do Brasil e é minha hóspede! Como uma descendente de judeus portugueses, tinha que trazê-la logo aqui! E esta é Zoe, sefardita legítima, importada do Marrocos, que faz o melhor arroz com lentilhas das Américas!

Zoe deu as boas-vindas a Ioná e puxou as duas para conhecer a loja. Era apenas o começo de uma jornada por outro mundo. A variedade de títulos ia dos romances de Isaac Bashevis Singer no ídiche original às narrativas sobre os judeus da Etiópia e de Goa, na Índia. Também impressionava a diversidade de CDs de música *klesmer*, típica do Leste Europeu, e de ladino, o idioma dos judeus da Península Ibérica. Um deles tocava naquele momento. Ioná folheou o encarte. O som lembrava o português, mas a grafia remetia ao hebraico. Fechou os olhos e deixou-se levar por alguns segundos. Parecia um sonho. Espalhadas pelo balcão, *mezuzot* de todos os tipos e tamanhos. Das mais modernas, de cerâmica com cores fortes, às mais clássicas, de ferro e madeira. Para o quarto das crianças ou para os carros. Havia também candelabros de sete e nove velas — as *menorot* —, louças para o Pessach e as tradicionais hamsás, talismã em forma de mão usado tanto por judeus como por árabes, muito difundido no Oriente Médio e entre os sefarditas. Alguns traziam o olho turco no centro. Enquanto Ioná explorava minuciosamente cada prateleira, Eva e Zoe punham a conversa em dia. A médica checava os preços e fazia mentalmente uma lista do que gostaria de comprar. Queria levar a loja toda. Começava a entender por que as pessoas diziam que Nova York era uma perdição, uma prova de resistência. Foi trazida de volta pelo chamado de Eva.

— Acho que está na hora de irmos! Além do mais, Ioná deve estar morta de cansaço, não é mesmo?! — e cochichou para Zoe: — Ela mal aterrissou... e foi praticamente arrancada para a rua!

— Nossa diretora está viajando... mas volta em dois dias. Não precisa marcar hora não, eu mesma te levo até ela! E aí você conhece a nossa biblioteca! — disse Zoe enquanto as levava até a porta.

Ioná respirou aliviada. Adoraria mergulhar em livros, mas não naquele instante. Precisava dormir um pouco, confirmar o horário da entrevista com os rabinos. Eram muitas novidades em tão poucas horas. Estava perdida em pensamentos quando deu a trombada.

— Desculpe! — O pedido saiu instintivamente em português.

— Não há por quê — veio a resposta, seguida por um leve baixar de cabeça e um andar apressado.

Ioná acompanhou o velhinho que atravessou rapidamente a porta de saída. Quando caiu em si — a resposta viera em português! — ele já havia desaparecido na rua.

Ioná voltou-se para Zoe, que ainda conversava animadamente com Eva.

— Zoe, por acaso você conhece aquele senhor que saiu agora há pouco?

— O de passos apressados? — respondeu sorridente. — É Menachem... um dos mais antigos membros da congregação... sempre um esquisito, nunca se misturou! Muito solitário, viúvo, sem filhos.

— Mas ele fala português, correto? — perguntou Ioná.

— Ah, sim! E ladino e espanhol! Dizem que é descendente dos 23 judeus que fundaram Nova York! Muito religioso do jeito dele, quando não está na biblioteca está na sinagoga... ou cuidando de um pequeno jardim que fica na parte baixa de Manhattan, lá pelos lados do primeiro cemitério judaico da ilha, em Chinatown. Minha sogra contava que antes de Menachem era o pai dele que cuidava do jardim, e antes dele, o avô, e assim sucessivamente... os guardiões do jardim de Aba!

— Jardim de Aba? Por que o nome Aba? — Ioná lançou a pergunta.

— Talvez porque seja uma tradição que passa de pai para filho. "Aba", do hebraico, "pai". Uma forma carinhosa de chamar os pais... é o diminutivo do primeiro pai, Abraão... Aba! — Zoe levantou os ombros e inclinou levemente a cabeça. — Não sei por quê! Ninguém nunca perguntou, que eu saiba! Menachem é muito reservado. Minha sogra dizia que o pai dele também era assim, não se misturava.

— Esse tal Menachem deve ter a minha idade, se não for mais velho! — interferiu Eva. — E, se o jardim já existia no tempo do pai e do avô dele, tem muito mais de um século! Sobrevivendo à selva de concreto? Aos invernos congelantes e verões escaldantes? Quando a gente pensa que já viu e ouviu tudo... Nova York aparece com mais uma surpresa!

— Pelo menos é o que reza a lenda! Um mistério que Menachem nunca fez questão de esclarecer! — Zoe rebateu. Em seguida, se aproximou das duas e falou em voz baixa:

— Cá entre nós, eu acho mesmo que é coisa de maluco... mas como o velho Menachem não atrapalha ninguém, que o deixem em paz com seu jardim!

Enquanto ouvia, Ioná se lembrava da tia-avó e das histórias truncadas e cheias de interrogações no ar. Meias palavras que eram passadas adiante, sem explicação.

— Mas quer dizer que ele é descendente dos cristãos-novos que vieram do Brasil? — A médica queria saber mais.

— Tudo o que te digo é fruto de boatos. O que falam por aí... descendente do chamado grupo dos 23, assim como nomes ilustres que passaram para a história dos Estados Unidos! A família Seixas, por exemplo! Abraão Mendes Seixas lutou na guerra da Independência, ao lado de George Washington. Os Mendes Seixas também tiveram herdeiros que estão até hoje à frente do poderoso *New York Times*! Todos judeus de origem cristã-nova portuguesa!

E enveredou por um sem-fim de nomes até finalmente pôr um ponto final na conversa com um beijo na bochecha de Ioná e um longo abraço em Eva. E voltou para a loja. As duas seguiram em silêncio para a porta de saída.

50

Ioná estava a menos de 12 horas em Manhattan mas tinha a sensação de fazer parte daquele pedaço cobiçado do mundo há muito tempo. Imaginar que descendentes de cristãos-novos, como ela, haviam ajudado a fazer aquela cidade era incrível. Pena que tão poucas pessoas soubessem disso. Pena que ela precisasse estar ali, mais de três séculos depois, para pedir um reconhecimento oficial de seu judaísmo. De certa forma, a história dela, de sua família, estava mais ligada àquela origem do que a de milhares de judeus que vieram da Europa no século seguinte e já encontraram uma comunidade coesa e estabelecida.

Os 23 retornados — como ela preferia chamá-los — formaram a primeira congregação judaica da América do Norte: a Shearith Israel. Tão marranos quanto os que haviam fundado, anos antes, a Kahal Zur Israel — a primeira sinagoga das Américas em Recife.

Nos dias atuais, a Shearith Israel funcionava em um imponente endereço. A sinagoga ficava na parte alta, lado oeste de Manhattan, na esquina da 70th Street, de frente para o Central Park. O prédio fora erguido no fim do século XIX.

Bem antes, nas primeiras décadas, as reuniões aconteciam em locais alugados, até a construção da primeira sinagoga da congregação em 1730, a pequena Shearith Israel. O mais curioso é que até 1825 ela foi a única congregação de judeus — tanto sefarditas quanto asquenazes — na cidade de Nova York.

E mesmo com todos os obstáculos que tiveram na chegada, ainda na Nova Amsterdã dominada pelo holandeses, os judeus conseguiram se estabelecer. E pouco depois, sob domínio inglês, se fixaram definitivamente na ainda colônia.

Na declaração da independência da Inglaterra, em 4 de julho de 1776, havia cerca de 2.500 judeus vivendo no que viria a se tornar os Estados Unidos da América. Apenas 0,1% dos dois milhões e quinhentos mil habitantes das colônias que romperam os laços com a coroa britânica. Independente de credo, lutaram juntos por uma pátria livre. Era o nascimento de um novo país, baseado nos princípios de igualdade e liberdade para todos os cidadãos. Princípios que foram reafirmados na Constituição Americana de 1787, que se mantém até os dias atuais. E, quando o presidente George Washington decretou o dia 26 de novembro como o Dia de Ação de Graças, os judeus souberam que também faziam parte daquela história. Em um desfile comemorativo na Filadélfia, uma das mesas foi preparada com alimentos kosher. De próprio punho, George Washington mandou uma carta à comunidade judaica agradecendo o apoio na guerra. Deixavam de ser apenas uma minoria que tinha que ser tolerada para se tornarem cidadãos norte-americanos de fato. Tinham seus direitos reconhecidos oficialmente pela lei e eram iguais aos não judeus, diferente do que acontecia na Europa. Isto não significava em absoluto o fim do antissemitismo, mas garantia o direito de existir oficialmente, sem restrições.

Ironicamente, e muita gente pensava assim, este existir oficialmente detonara um dos maiores conflitos da era moderna. Nos estertores do século XX, o apoio incondicional dos americanos a Israel e ao povo judeu acendera o pavio do mundo islâmico, colocando os Estados Unidos na mira do ódio. Menos de um ano e meio depois, este ódio seria declarado da forma mais escabrosa e absurda, imprimindo a marca do terror no início do século XXI.

Mas naquele fim de abril do ano 2000, ainda sob o efeito de um bombardeio de informações, *jet lag* e um leve enjoo, Ioná queria mesmo dormir. Precisava ligar para a mãe, avisar que estava sã e salva e muito bem acomodada. Também tinha que contatar a secretária do rabino-chefe. Na véspera do embarque, Ioná já com a passagem na mão, ele havia transferido a data do encontro de quinta, dali a dois dias, para sábado. Agora teria três dias para preparar sua argumentação, organizar o material que trouxera do Brasil. Fotografias do oratório, do sítio da Estrela, e uma outra que ela adorava, de toda a família reunida — mais de cinquenta pessoas — homens de um lado e mulheres do outro, como na sinagoga. Também trouxera certidões de nascimento e casamento que confirmavam a endogamia dos Mendes de Brito. Para completar, havia a genealogia e uma lista de costumes, os mesmos que estavam no diário que ela emprestou para Ana. Teria que traduzi-los, já que o rabino não falava português.

Seguiu em silêncio, ao lado de Eva, durante as poucas quadras na volta para a casa. De vez em quando esboçava um leve sorriso e balançava a cabeça, mas não tinha a mais vaga ideia sobre o que a animada senhora falava.

A imagem do velho Menachem e o olhar trocado nos poucos segundos após o esbarrão não saíam de sua mente. Ela precisava encontrá-lo. Se ele era descendente dos 23 judeus de Recife, ele vinha de onde ela era! E o tal jardim de Aba? O que levava uma família a manter algo assim por tantas gerações?

    Chegaram ao prédio. Eva deixou Ioná com a chave reserva e foi ao mercado. A médica fez uma tímida tentativa de acompanhá-la, mas algo em seu semblante deve ter sinalizado que ela estava prestes a desabar. Eva não deu ouvidos, estava acostumada a ir sozinha, era sua rotina. Quando o porteiro se aproximou, ela beijou a testa de Ioná, fez breves observações sobre a água quente e o local das toalhas e seguiu para a esquina. Ioná agradeceu aliviada e cambaleou até o elevador.

51

Manhattan, NY
26 de abril de 2000

Ioná levantou sobressaltada com o assovio da chaleira. Demorou alguns segundos para perceber onde estava. Olhou o relógio. 7h20... manhã ou tarde? Uma luz pálida atravessava a cortina cerrada.

— A água fervendo foi proposital! Você dormiu mais de 12 horas. Café ou chá? — Eva havia posto uma bela mesa com queijos, geleia e frutas.

— Pode ser café, obrigada! Como eu dormi! Acho que foi o voo e depois tantas novidades... tomei um banho e acabei cochilando — respondeu meio sem graça.

— Você apagou! Quando cheguei da rua estava estirada na poltrona! E foi como uma sonâmbula para o sofá! Achei melhor te deixar dormir... e só a acordei porque tenho que sair! Na verdade, vou ficar fora uns dias, cuidando do meu netinho caçula! Meu filho e a nora estão viajando e a babá teve um problema de família! Tocou o alarme — vovó! — Eva respondeu enquanto ligava a cafeteira elétrica.

— Então eu vou para um hotel! Minha mala está arrumada, não se preocupe...

Ioná não conseguiu terminar a frase. Foi interrompida por um definitivo "nem pensar".

— Onde já se viu? Você é minha hóspede e vai ficar aqui o tempo que precisar e quiser! Eu é que peço desculpas pelo imprevisto. A casa é sua! Tem comida na geladeira, chá e café no armário... qualquer coisa de que precisar, o número da casa do Lincoln está ao lado do telefone! Me ligue! Eu volto no domingo de manhã, a tempo de me despedir de você! Não deixe de se alimentar direito, viu?! Essa cidade é o paraíso das besteiras! — disse, jogando um beijo para Ioná com a mão.

Já quase na porta, se voltou.

— Uma última coisa... boa sorte no seu encontro. Qualquer que seja o resultado, lembre-se, é seu coração quem dá a última palavra.

Enquanto tomava o café, ligou para a secretária do rabinato. O encontro estava confirmado para a tarde de sábado depois do fim do *Shabat*. Não havia como antecipá-lo. Era mesmo o único dia disponível na apertada agenda. O rabino-chefe embarcaria para uma temporada em Israel no dia seguinte. Só não havia ido antes por causa do feriado de Pessach, e abrira espaço para o encontro com Ioná graças à profunda consideração que tinha pelo rabino Samuel Medina.

Lavou rapidamente a louça e liberou a mesa para colocar a papelada que ocupava a maior parte da mala. Pendurou as poucas roupas e encarou as anotações com certo desânimo. Tudo havia acontecido muito rápido. Começava a achar que Ana estava certa. A vinda a Nova York não precisava ter sido tão imediata. Talvez, com algo mais concreto sobre a capela do sítio da Estrela, tivesse mais argumentos. Pensou em ligar para a jornalista, mas desistiu. Falaria depois do encontro com os rabinos. Havia conversado rapidamente com a mãe, na tarde anterior, antes de desabar na poltrona. Estava tudo bem, nenhuma novidade. Então o melhor era se concentrar na difícil entrevista que teria à frente.

Para arejar as ideias, nada melhor do que uma boa caminhada, pensou Ioná com os olhos voltados mais uma vez para o relógio. Oito e vinte da manhã. Ainda era cedo. Calçou o tênis, uma calça de pano, bem larga, e camiseta. Saiu sem levar bolsa, só a chave e algum trocado. Não escutou o telefone tocar. Muito menos o recado na secretária eletrônica depois de três insistentes tentativas. Quando ela voltasse haveria mais dois.

52

Não foi proposital, mas, quando Ioná caiu em si, estava refazendo o mesmo trajeto de Eva no dia anterior. Parou em frente ao segundo cemitério judaico português e fitou as lápides. Depois seguiu para a Sephardic House. Pensou em procurar Zoe na livraria. Queria saber mais sobre Menachem, talvez fosse seu dia de sorte e ele estivesse por lá. Mas ainda era cedo, e ela não tinha nenhum documento. Não conseguiria entrar. Poderia tentar encontrar o tal jardim de Aba, já que era perto do primeiro cemitério dos judeus portugueses. Mas só se recordava que ele ficava em Chinatown, que era uma espécie de bairro, pelo que já tinha ouvido falar sobre Nova York. Seria uma perda de tempo andar a esmo sem um mapa e nenhuma direção de onde estava. Outra opção era esperar o misterioso velhinho e segui-lo. Mas logo caiu em si. Tempo era o que ela não tinha a perder naquele momento. Viajara com um objetivo definido, uma missão, e não para fazer turismo, muito menos uma investigação.

Entrou em casa e foi direto para o banho, não notou a secretária eletrônica piscando. E, mesmo que tivesse, não faria a menor diferença. Ioná não mexeria em nada que não fosse absolutamente necessário. Sentou-se à mesa, pegou um bloco e começou a organizar sua apresentação. Foram folhas e folhas amassadas e arremessadas na lata de lixo. Tudo o que ela julgava tão importante e fundamental na defesa de suas raízes perdia força quando dito em voz alta. Ela não conseguia explicar. Era como se o discurso matasse o que era de fato genuíno. Como é que um rabino, que falava outra língua, vivia em outra realidade, tinha referências tão distintas, outras paisagens, poderia entender o porquê de certas associações que Ioná fazia? Como era possível convencer religiosos do Leste Europeu — os rabinos que iriam recebê-la eram asquenazes, de origem polonesa — que velhinhas criadas no Sertão de um país distante com imagens de santos — algo impensável para um judeu — espalhadas pelas paredes cultuavam apenas o Deus único e não aquele que os cristãos acreditavam ser seu filho? Que essas mulheres acendiam velas com mel para os anjos às sextas-feiras e rezavam para a lua nova? Como Ioná poderia explicar o inexplicável? O que resistiu há séculos através de casamentos dentro da própria família que tinham como única fortuna a tradição? Era essa herança que os rabinos teriam que conhecer e compreender.

Ioná deu um longo suspiro. Juntou as anotações fazendo uma pilha no centro da mesa. Já era noite. Um esgotamento, mais fruto do desânimo do que do cansaço — era apenas seu segundo dia ali — fez com que seguisse mecanicamente até a geladeira, enchesse um copo de leite para ajudar a engolir dois pedaços de *matzá* e uma banana, e se atirasse no sofá. Ligou a tevê e ficou horas a fitar a pequena tela, sem ver nada além do filme de sua vida.

A quinta-feira chegou acompanhada de uma leve mas insistente sensação de enjoo. A ansiedade aumentava à medida que se aproximava o encontro com os rabinos. Ioná ainda não sabia como encaminhar a conversa. Não dormira bem e por duas vezes levantara com ânsias de pôr tudo para fora, embora não tivesse comido nada além da fruta e do pão seco. Preparou um bule de chá e engoliu dois antiácidos.

Fitou as anotações. Estavam do mesmo jeito que ela deixara, empilhadas no centro do tampo de madeira. O rabino Medina se oferecera para acompanhá-la, como intérprete, mas Ioná preferiu ela mesma falar diretamente com os representantes do Beit Din. Uma forma de mostrar que não estava intimidada, embora, naquele momento, isso não fosse exatamente verdade. Também confiava mais no seu inglês de cursinho do que na tradução do rabino, que, como ele mesmo dissera, dominava o espanhol e arranhava o português.

Ioná se concentrou como costumava fazer na véspera das provas de anatomia. Foram mais de seis horas ininterruptas. Catalogou os costumes que julgava mais inquestionáveis. Os de morte encabeçavam a lista. Resumiu a história de sua vida em duas páginas. Lembrou-se da carta que escrevera para a professora Ethel. Ali estava o mais importante. As fotos fechariam a apresentação. A do batizado dela e a do batizado da filha da tia-avó. As velas na primeira sexta-feira após o nascimento, o oratório com a flor-de-lis. Era como se preparasse um seminário de fim de semestre. Deu uma longa espreguiçada e esticou as pernas. Eram seis da tarde. Não havia mais o que fazer. O dossiê estava pronto: curto, simples, direto.

Ficara ali sentada a tarde inteira e havia comido apenas *matzá* — que já estava um pouco mole — e frutas, de novo. Pegou a bolsa e um cartão com um endereço que Eva havia lhe dado de um restaurante de comida polonesa, bom e barato, que ficava nas redondezas.

Quando deixou o Teresa's já era noite. Caminhou até Washington Square e sentou perto do arco para admirar o céu limpo e claro, salpicado de estrelas. A apresentação, dali a dois dias, estava preparada. Mas faltava alguma coisa que ela não conseguia identificar.

A resposta viria no dia seguinte, quando ela cruzasse a ponte do Brooklyn, numa visita ao reduto dos hassídicos, atrás de uma imagem que tanto a fascinara em São Paulo e, mesmo antes, em Recife. O que ela jamais poderia imaginar é que do outro lado do rio estava o fio que puxaria sua história.

53

Manhattan, NY
28 de abril de 2000

Ioná não notou, ao deixar o apartamento, na sexta-feira pela manhã, que de três havia pulado para seis o número de mensagens deixadas na secretária eletrônica. Mais uma noite de sono inquieto, com várias idas ao banheiro e círculos pela minúscula sala. Quando finalmente apagou, o dia já estava claro. Dormiu pesado por duas ou três horas, sem sonhos, o suficiente para repor as energias. Até ao Brooklyn seria uma pequena viagem. Seguiu para a estação de metrô da 8th Street, fazendo uma rápida parada para um balde de café preto, aguado.

Com os altos preços de Manhattan, o Brooklyn ganhou espaço no cenário dos jovens casais. Era o mais habitado dos cinco distritos de Nova York, com quase dois milhões e meio de pessoas vivendo lá, quase um terço da população da cidade. A ilha, paraíso dos solteiros, se tornava o inferno com um bebê a caminho. Apartamentos de um cômodo, ruas movimentadas, bares convidativos. Não havia espaço para fraldas, berço e choro. A solução estava a poucos quilômetros e a um rio de distância. Simpáticas casas de dois e três andares, jardim, quintal. O lugar perfeito para se criar filhos sem enlouquecer. Mas não eram os imóveis, e muito menos o novo estilo de vida do jovem nova-iorquino, que atraíram Ioná àquela parte da cidade. Ela viera atrás de um mito.

Na primeira visita à sinagoga dos ortodoxos, na capital pernambucana, fora hipnotizada pela fotografia de um velho rabino de longa barba branca e olhos azuis penetrantes. O retrato chamava a atenção, já que os judeus não costumavam cultuar imagens. Mas aquela era diferente. A mesma foto ela encontrou em sinagogas, escolas e casas que havia visitado em São Paulo.

Agora ela chegava ao Brooklyn, coração daquele misticismo. Era ali que tinha vivido e pregado o *Rebe*, o mais célebre rabino do movimento Chabad-Lubavitch. O velhinho do retrato.

Em breve faria seis anos de sua morte, mas a presença do grande sábio, que milhares consideravam o maior dos justos, ainda era forte e marcante entre os hassídicos. Pessoas do mundo todo, anônimas e famosas, curvaram-se ao carisma e sabedoria daquele homem que popularizou os ortodoxos do Leste Europeu e levou o movimento Chabad aos quatro cantos do planeta. Também foi um grande aliado das mulheres ao defender que elas podiam e deviam estudar a Torá, inclusive em seu aspecto mais místico, a cabala. Com campanhas centradas na solidariedade, o *Rebe* incentivava a caridade e a prática dos preceitos religiosos que fundamentavam a religião judaica, as chamadas *mitzvot*. Distribuía notas de um dólar para que fossem dadas para instituições e pessoas carentes, formando uma espécie de corrente do bem. E, apesar de toda a sua ortodoxia, recebia os judeus menos praticantes, e até os que não eram judeus, da mesma forma que recebia os mais fervorosos. Eram filas e filas para ouvir os conselhos e pregações do *Rebe*. Diziam que fazia milagres, muitos deles sendo relatados até os dias atuais. Para milhares de judeus, ele foi o Messias — o *Moshiach* — prometido na Torá.

Foi atrás de um sinal, de uma inspiração do grande sábio, que Ioná chegou à vizinhança de Crown Heights. Nesta viagem ao mundo dos hassídicos ela esperava abrir seu próprio caminho. Logo na chegada, avisos colados em muros e lojas alertavam moradoras e visitantes a se vestirem com recato, cobrindo o corpo por inteiro, braços, pernas, costas. As que desrespeitassem as normas do vestuário estavam envergonhando a si mesmas. Ioná já tinha lido sobre isso. Havia colocado uma saia com flores em tons pastel, que caía pelo tornozelo, sapatilha sem salto, e uma blusa com manga três-quartos. Também cobrira os cabelos com uma bandana. Parecia mais uma hippie de boutique do que uma ortodoxa visitando a família. Não que ela quisesse parecer uma. O rosto de traços finos, o corpo magro e esguio com seu 1,75m de altura atraíam olhares por mais que ela tentasse passar despercebida. Mas não desrespeitava as regras locais.

Como estavam a poucas horas do *Shabat* o movimento era grande, principalmente nos pequenos mercados de esquina. As mulheres, sem exceção, usavam saias longas e camisas compridas. Roupas que pareciam saídas de um brechó, algumas facilmente dos anos 1950. Ioná não era ligada em moda, mas era impossível não notar o confronto de gerações entre quem vestia e o que vestia. Mulheres que não deviam ter 25 anos e traziam um rosto jovem, sem rugas, emoldurado em perucas de cabelos lisos, pouco abaixo do ombro, que só variavam na cor e no corte da franja.

As mais velhas traziam lenços amarrados na cabeça, onde escondiam os cabelos curtos e malcortados. Uma mulher casada só podia mostrar-se ao marido. Os cabelos eram sinal de vaidade e tentação.

Os carrinhos de bebês e os filhos pequenos brotavam em pencas ao redor daquelas mães que não tinham mãos para as sacolas. Vez por outra abriam espaço para a passagem de um grupo de homens barbados ou rapazes com tufos que cresciam no queixo e nas bochechas, todos com ternos pretos, de corte bem simples, e chapéus também negros enterrados na cabeça.

Não falavam inglês, muito menos hebraico. Soava como alemão ou alguma língua eslava. Só podia ser ídiche, dialeto comum aos judeus do Leste Europeu. Em muitas lojas, nos carros, nas vidraças das casas, chamava a atenção o adesivo com a palavra *Moshiach*, Messias.

Ioná entrou em lojas de discos, livros, artigos religiosos. Em todos os lugares sentia olhares cravando nas costas, desviados assim que ela se virava. Seria sempre uma estranha no meio daquelas pessoas. Em uma esquina notou uma fila em um pequeno restaurante. Olhou o relógio. Já passava das duas da tarde. Precisava comer alguma coisa, seria ali. Pediu uma porção de falafel, que devorou em pé mesmo, no balcão. Pagou e saiu.

O movimento nas ruas começava a se dissipar. As mulheres corriam para preparar as comidas antes do início do *Shabat*. Casa arrumada, mesa posta, crianças limpas, as melhores roupas. Depois seguiriam para a sinagoga, onde ficariam na parte de trás, trocando receitas, fofocando sobre a vida alheia, arranjando casamentos enquanto os maridos balançariam em transe durante a leitura da Torá. A excursão a *Crown Heights* só fizera aumentar suas dúvidas.

Lembrou-se de Ana, do enterro da tia, da ida ao sítio da Estrela. Tantas revelações e perguntas que ela deixou para trás por causa do desejo cego por um reconhecimento oficial de seu judaísmo. Amanhã daria o primeiro passo neste caminho e mesmo assim não era plenitude nem felicidade o que sentia naquele instante.

Foi quando notou o idoso que caminhava apressado no outro lado da rua. Reconheceu o andar imediatamente. Talvez o *Rebe* tivesse lhe mandado um sinal.

Ioná revezou passos rápidos com uma leve corrida para não chamar muita atenção em meio ao movimento de fim de tarde. Apesar da idade avançada — devia beirar os 80 anos —, ele estava mais do que em forma.

Com menos de dois metros entre os dois, Menachem parou abruptamente em frente a um prédio de três andares e tijolos vermelhos descascados. A chave entrou rapidamente e quando virava a maçaneta ouviu o grito.

— Olá! Espere, por favor! — Ioná se aproximou esbaforida.

O velho voltou o rosto e franziu a testa desconfiado. Foi ela tirar a bandana da cabeça para que ele reconhecesse a jovem da Sephardic House.

54

Não foi necessária maior apresentação do que o nome e o lugar de onde ela vinha. Ioná fez um cumprimento com a cabeça pois imaginou — e estava certa — que Menachem era religioso, por isso não podia ter contato físico com uma mulher, sob risco de que ela estivesse "impura", no período menstrual. Era regra da religião, não cabia questionamento, apenas respeitá-la ou julgá-la antiquada e retrógrada. Ioná não via problemas em respeitá-la.

— Mas que coincidência encontrar o senhor aqui! Confesso que ouvir o português na Sephardic House me deixou emocionada! No dia seguinte voltei lá mas acabei não entrando... — falou Ioná, sem jeito.

— Eu não acredito em coincidências, acredito no destino — respondeu ele sem estranhamento, como um velho conhecido. — E se você está aqui neste exato momento, a poucos minutos do surgimento da primeira estrela no céu, é um sinal para que este velho ermitão a convide para o *Shabat*! É uma honra ter em minha casa uma conterrânea de meus antepassados, da terra em que nunca estive! — As palavras saíram precisas, com forte acento português.

Ioná custou a acreditar que estivesse de frente para um judeu nascido nos Estados Unidos que nunca tinha cruzado o Atlântico ou descido as Américas.

O apartamento de Menachem ficava no segundo piso. Talvez sua boa forma se devesse em parte a subir e descer a longa escada que rangia a cada degrau. Apesar da fachada que pedia reformas, o interior do prédio era bem conservado. No andar, havia mais cinco portas. O apartamento era um conjugado, bem menor que o de Eva, com paredes cobertas por um papel com estampas desbotadas de flores e extremidades amareladas. Tinha uma pequena lareira, um sofá que provavelmente se transformava em cama, uma mesa próxima à janela e uma poltrona de leitura. Uma televisão antiga, daquelas com tela bem curva, que lembrava a infância, ficava sobre um banco alto, próximo à única porta, fora a da entrada. Dava para o banheiro. A cozinha era aberta, separada do cômodo único por uma bancada. O que mais chamava a atenção eram as pilhas de livros por todos os cantos. Uma estante do chão ao teto ocupava parte de uma parede. Mas não era suficiente para a farta biblioteca com os mais variados títulos e idiomas.

Uma única foto ficava sobre o sofá. Os olhos azuis penetrantes pareciam observar cada movimento como se fossem guardiões da casa. A moldura barata não diminuía o fascínio do retrato do *Rebe*.

Menachem notou o interesse de Ioná.

— Fomos grandes amigos, o *Rebe* e eu... Era um ser especial, que flutuava entre nós — disse enquanto preparava a mesa. Cobriu o tampo com uma toalha de linho, com bordados na barra. Colocou os dois castiçais com as velas, a *chalá*, a taça do *kiddush* e uma garrafa de vinho kosher. Passou a caixa de fósforos e um lenço rendado para que Ioná cobrisse a cabeça.

— Desde a morte de minha amada Faiga, sou eu que acendo as velas, mas graças a Adonai hoje aqui está a menina — falou com a voz embargada.

Ioná sentiu a emoção subir aos olhos, algumas lágrimas escaparam. Acendeu as velas e, pela primeira vez em sua vida — sem contar quando estava sozinha —, fez a oração do *Shabat*.

— *Baruch atá Adonai, Eloheinu melech haolam asher kidshanu bemitzvotav vetzivánu lehadlik ner shel Shabat.** — A voz saindo por um fio, como se cantasse para dentro. Com os olhos cerrados fazia círculos curtos com as mãos em volta das chamas.

Ao lado de Menachem, de frente para o *Rebe*, Ioná sentiu o chamado lá do fundo. Ela era judia.

Depois foi a vez de o homem da casa fazer o *kiddush*, a bênção, com a taça de vinho e, em seguida, partir a *chalá*. Ioná comeu um pedaço grande saboreando cada naco. Naquela casa simples, de mesa parca, teve um dos momentos mais marcantes de sua vida.

Não sentia necessidade de falar. Por isso não perguntou nada sobre a vida dele, se era realmente descendente dos 23 judeus que fundaram a primeira comunidade judaica na cidade, como aprendera a falar português tão bem, quando morrera a esposa e, a maior de todas as curiosidades, por que o jardim de Aba era preservado há tantas gerações.

Bastava-lhe simplesmente estar ali, compartilhando o silêncio. A mente trabalhava sem parar. Aquele senhor que ela vira de relance apenas uma vez, que era ortodoxo no sentido

---

*Oração em hebraico, rezada pelas mulheres, ao acenderem as velas que marcam o início do *Shabat*, o dia do descanso para os judeus. Vai do pôr do sol de sexta-feira até o pôr do sol de sábado

literal da palavra, seguidor do Chabad, não fizera um questionamento sobre o judaísmo dela. Abrira as portas de seu lar e dera a ela o papel da dona da casa. Começou a chorar. Menachem foi até o pequeno móvel sob a bancada da cozinha e retirou um guardanapo de pano. Em seguida colocou-o sobre a mesa com um sinal de que podia pegá-lo.

— Eu não sei o que está acontecendo — Ioná falou enquanto enxugava os olhos inchados —, ou melhor, eu sei sim... e é muito difícil aceitar! O senhor não sabe quem eu sou, o que vim fazer nesta cidade, e no entanto abriu as portas de sua casa e pediu que eu acendesse as velas do *Shabat*... o senhor não tem dúvidas. Não me conhece e não tem dúvidas!

O velho sábio encarou aqueles olhos de um azul tão profundo como os do *Rebe*. E falou pausadamente, enfatizando cada palavra, como se ela fosse uma estrangeira que não dominava a língua.

— Ioná, por que é tão importante o que os outros pensam? As dúvidas que eles têm, ou mesmo as que eu possa ter? Você é que tem que saber quem você é. É essa pergunta que você tem que fazer. E que só você poderá responder: você sabe quem você é?

Ioná manteve o olhar, mas a vontade era de baixar a cabeça e escondê-la entre os braços, como fazia quando era criança e algo a incomodava.

O silêncio dela serviu de encorajamento para que ele continuasse.

— Eu sei o que você veio fazer aqui. E já sabia antes da sua chegada. Meu grande amigo, rabino Medina, havia comentado. E, quando você esbarrou em mim, soube na hora que era a brasileira que compareceria ao *Beit Din*.

— Mas por que não me disse nada? — a pergunta saiu tímida. — Nem depois que eu o segui hoje?

— Faria alguma diferença? Estou a te dizer agora o que penso. Mais do que isso, como vivo. Nossa história é marcada por percalços, enormes dificuldades, mortes, medo, mentiras para camuflar a verdadeira fé. Mas existe uma certeza. A certeza que herdei de meus antepassados, fruto de tantas provações para manter a tradição. Eu sei quem eu sou! E não é um papel que vai me dizer isto. Não é a palavra do homem que avaliza quem sou. Aliás, não é palavra nenhuma, mas o que está aqui dentro — e bateu forte no peito —, aqui no fundo, que me diz quem sou. Porque é aqui que eu falo com *Ele* — e apontou para cima — e é aqui que recebo a resposta! — de novo, bateu no peito. — Eu sou um judeu e a única pessoa que eu preciso que aceite isso sou eu próprio!

— Mas no meu caso... — ela esboçou uma resposta, mas foi cortada por Menachem. Era como se o discurso dele estivesse contido nas entranhas há gerações, como água represada, e subitamente a comporta fosse aberta.

— Meus antepassados foram convertidos à força em Portugal, fugiram para Amsterdã, de lá seguiram para o Brasil e, depois, para cá. Esta é a história que ouvi desde a infância... mas sabe o que o meu avô e meu pai ressaltavam? Que nunca esquecesse que mantivemos o sobrenome de conversos, que mantivemos o português como língua mãe! E sabe por quê? Para sabermos sempre de onde viemos e o que passaram os nossos antepassados para que estivéssemos vivos hoje!

— Eu entendo o senhor, e concordo, mas seus antepassados deixaram o Brasil no século XVII, não é o meu caso! Os grandes rabinos da época reconheciam que eles eram judeus! — foi a vez de Ioná explodir, em um tom mais de defesa do que agressividade.

Menachem esperou que ela acabasse, os braços cruzados sobre o peito gentilmente pousaram sobre a mesa. Estavam sentados um de frente para o outro. Ela tinha certeza que ele seguraria sua mão, se fosse permitido.

— Eu vou lhe contar uma pequena história — as palavras escorregaram doces. — A primeira vez que vi minha amada Faiga, soube que era *beshert*. Você conhece o significado desta palavra?

Ioná respondeu com um balanço negativo de cabeça.

— *Beshert* é uma expressão em ídiche que significa que os acontecimentos na vida são predestinados, as pessoas são predestinadas, elas são o que têm de ser. Faiga e eu erámos predestinados. Um para o outro. Ela tinha 17 anos, era a filha mais velha de um rabino e ajudava a mãe a cuidar da casa e de cinco irmãos. Eu tinha 28 anos, trabalhava na loja de meu pai, um dos mais bem-sucedidos comerciantes do Brooklyn, e morava em uma casa com empregados. Mundos muito diferentes, mas bastou uma única troca de olhar para saber que erámos um do outro. *Beshert* — ele repetiu como se falasse para si mesmo. — Faiga tinha que ser minha mulher! — continuou com a voz emocionada. — A primeira pessoa com quem falei foi meu pai, ele relutou no começo mas teve que aceitar. A resistência de minha família não foi nada frente ao verdadeiro calvário que tive de enfrentar. Meu pai me acompanhou à casa do rabino Berger. Lembro que na época achei que o fato de ele ser um bem-sucedido comerciante contaria na decisão. Afinal não faltaria nada a Faiga. Ao meu lado teria até uma vida com menos privações. Mas eu estava enganado. Fomos tratados com muito respeito mas convidados a deixar a casa e não voltarmos jamais com tal proposta. Não consegui entender o porquê da recusa. Érामos bons judeus, respeitávamos a Lei, seguíamos a tradição. A realidade nua e crua chegou através de meu avô, que disse sem rodeios: "Menachem, você é e sempre será um descendente de conversos, de cristãos-novos, não importa que tenham se passado trezentos anos! Não importa que vivamos como judeus plenos novamente há três séculos!"

Ioná escutava atentamente a história daquele homem solitário que expunha sua vida sem floreios.

— Como não era homem de desistir, ia diariamente à casa do rabino. Então ele me fez uma proposta. Que eu mergulhasse na *micvê* — como se fazia no *Yom Kippur*, para expiar o passado impuro, nas palavras dele — de meus ascendentes. Eu estava tão cego e apaixonado que considerei a proposta, minha família era religiosa, mas não ortodoxa, achei que não teria nada de mais. Foi quando tive uma luz e procurei o *Rebe*, havia pouco tempo que ele estava à frente dos Lubavitcher... mas já era um justo. Ele me disse: "O amor a D'us, o amor pela Torá e o amor pelo nosso semelhante são os três amores de nosso povo, mas não podem ser desvencilhados, são uma só forma de amor, independente de onde venhamos ou das ideias que seguimos."* Saí da casa do *Rebe* com as sábias palavras martelando. E entendi o que ele queria dizer... o fato de o rabino Berger não me considerar um judeu como ele não me fazia menos judeu perante a D'us, à Torá e ao meu povo. E o mais importante... perante a mim mesmo! O *Rebe* — e isso pude constatar nos mais de quarenta anos que o acompanhei — era contra o isolacionismo religioso, contra o preconceito entre os próprios judeus! Graças a ele não entrei na *micvê* e,

---

*Palavras do Rabino Menachem Mendel Schneersohn conhecido como "Rebe" (1902/1994). Foi uma das figuras mais célebres do judaísmo e ajudou a difundir a religião mundialmente. O "Rebe" liderou o movimento ortodoxo Chabad Lubavitch, com sede central em Nova York, por mais de 40 anos.

dois anos depois, Faiga tornou-se minha mulher! *Beshert*, não dá para mudar! Tinha que ser assim, do exato jeito que foi!

Ioná permaneceu muda. Lembrou-se de como tinha começado toda aquela busca, justamente por causa de Daniel. Parecia um tempo tão distante. As ideias estavam confusas, mas ela tinha uma certeza. Ele era o seu *beshert*.

55

Meia hora depois Ioná deixou a casa de Menachem. Passava das 9 da noite e ela caminhou pelas ruas vazias de *Crown Heights* sem pressa. A luz e o burburinho escapavam pelas janelas onde as famílias celebravam o *Shabat*.

Andou cabisbaixa até o metrô e assim ficou durante toda a viagem. As palavras de Menachem iam e voltavam. *Você é que tem que saber quem você é*. Nenhum papel, rabino, banho ou bênção poderia fazer isto por ela!

— *Sorry*! — a pisada no pé, seguida de um pedido de desculpas, fez Ioná erguer a cabeça. Não tinha a menor ideia de onde estava. Havia feito algumas baldeações até deixar-se levar pelo balanço torto do vagão. O trem diminuía a velocidade à medida que se aproximava uma nova estação. Assim que a porta abriu, saltou do banco e pulou na plataforma acompanhando a massa humana. Subiu as escadas e saiu na 57th Street. A noite quente era um convite às ruas. Caiu no Central Park. Não tinha para onde ir, só sabia que não queria voltar para a casa de Eva. Um jovem casal se aproximou e pediu que ela tirasse uma foto. Em seguida entraram em uma carruagem para um passeio pelo parque. Ficou olhando os dois se afastarem, de braços dados, alheios a tudo que estava em volta. *Beshert*, pensou. Romantismo que ela não conhecia mais.

Consultou o mapa. Se virasse à direita cairia na Central Park West, a pouco mais de dez quadras da Shearith Israel. Quinze minutos depois, avistou a sinagoga portuguesa. Era bem mais grandiosa do que nas fotos, a mais imponente que ela já tinha visto. Permaneceu na calçada oposta admirando o templo que tomava uma esquina da 70th Street e seguia o estilo arquitetônico dos templos de Portugal e Espanha. Atravessou a avenida e subiu a escadaria larga e de poucos degraus, separada por quatro colunas gigantescas, que dava para três aberturas que caíam em um lobby coberto, isolado por grades de ferro. Fez meia-volta e desceu para admirar os imensos vitrais, acima de cada abertura. Tudo ali era grandioso. Rodeou a esquina. Mais vitrais na parede lateral. Imaginou como deveria ser bela a luz entrando por aquelas janelas de vidro coloridas. Vitrais que foram desenhados por Louis Tiffany, da famosa família de joalheiros da Quinta Avenida. As portas estavam cerradas. Não havia como entrar àquela hora. Ioná tinha lido que na parte de dentro existiam peças e mobiliário originais, da primeira sinagoga dos judeus portugueses na ilha, que funcionou, até 1730, na Mill Street. Nos dias de hoje, South William Street, no centro financeiro de Manhattan.

Voltou para a escadaria e sentou-se no segundo degrau, os cotovelos apoiados nos joelhos. Ficou ali por alguns minutos. Depois atravessou a avenida e encostou-se na mureta do Central Park, de frente para a sinagoga. Vez por outra o silêncio era quebrado pelo burburinho de um grupo de adolescentes no caminho de casa ou pelo latido de um cachorro que passeava com o dono sonolento recém-chegado de uma noitada. Aos poucos o movimento foi diminuindo e com ele o barulho, até restar somente a respiração de Ioná. Pegou novamente o mapa e fez uma consulta rápida. Afastou-se da mureta e seguiu pela calçada, sem olhar para trás. Havia tomado uma decisão.

Atravessou mais de setenta quadras, talvez oitenta. Quando chegou ao destino, procurou uma cabine telefônica. Pegou o cartão telefônico e discou o número de Ana. Tinha pouquíssimo tempo, mas o suficiente para dizer o que queria.

56

São Paulo
29 de abril de 2000

Ana demorou alguns segundos para reconhecer a voz. Tempo suficiente para ouvir Ioná dizer que não ia mais. Chegou a mencionar que tentara falar com ela. E foi só. A ligação caiu. A jornalista estava atônita, sem palavras. Esperou, por alguns minutos, que o telefone tocasse novamente. Tinha tanto para contar. Em três dias deixara cinco mensagens na secretária eletrônica da casa de Eva e nada. Nenhuma resposta. Agora, o inesperado telefonema àquela hora da manhã.

Ioná ligara para dizer que não ia à entrevista com o rabino. Isto era óbvio. Mas por quê?, Ana se perguntou enquanto preparava um café bem forte. Será que ela soubera de tudo que havia acontecido?

Tivera notícias de Ioná apenas pela mãe. Haviam se falado na terça-feira, dia da chegada a Nova York. Ela estava bem e feliz — dissera dona Margarida — com a acolhida de Eva. A mãe não sabia o que levara Ioná a fazer aquela viagem, achava que tinha a ver com a faculdade. Ana não desmentiu nem confirmou. Apenas desconversou. Desligou com uma ponta de mágoa. Ioná podia ao menos ter ligado para dizer que chegara bem. Pela forma como se despediram, Ana sabia que teriam que aparar várias arestas para fazer longa aquela amizade tão recente. Mas a ligação recebida há menos de meia hora mostrava que a confiança não havia se rompido. Restava a dúvida. Será que Ioná já sabia da morte de tio Elias? E de tudo que veio em seguida?

Sentada em um banco na cozinha, fazia cosquinhas na barriga de Ilaga, com o pé. Ioná embarcara há apenas cinco dias, que para Ana pareciam anos. A má notícia viera um dia depois da chegada da médica a Nova York. Um telefonema do prefeito de Córrego do Seridó chegou para confirmar o mau presságio que antecedeu a viagem. Tio Elias tinha falecido havia quatro dias. Os filhos só avisaram depois. Ana lembrava cada momento daquela quarta-feira. Fora acordada, com um telefonema, por volta das nove da manhã.

— Ana, aqui é Albano, primo de Ioná. Tia Margarida me avisou que ela está fora do Brasil... mesmo assim tomei a liberdade de ligar para você. Não tenho boas notícias.

Assim Ana ficou sabendo que tio Elias morrera de velhice — segundo o primo Albano —, dormindo. Fora visitar a filha mais velha, a 50 quilômetros de Córrego, e de lá não voltou. Foi enterrado na fazenda do genro. Só compareceram os filhos, netos e bisnetos.

— Pelo menos o sepultamento foi em terra limpa, virgem, com mortalha, segundo seu desejo. Mas bem que podiam ter nos avisado. Eu iria. Tia Ioná gostava tanto dele — Albano deixou escapar a ponta de ressentimento. — E vocês estiveram lá há pouco mais de um mês, tão inesperado, ele estava bem de saúde!

Ana concordou, sem esquecer que inesperado não era propriamente o melhor adjetivo para classificar a morte de uma pessoa com 102 anos. O que veio em seguida, no entanto, fez a jornalista ficar sem palavras.

— Mas eu acho que sei por que os primos não comunicaram a morte do tio. Você acredita que, mesmo antes de ele partir, eles já haviam fechado a venda do sítio? O corpo do velho Elias não tinha nem esfriado e as máquinas já estavam lá!

— Máquinas? — Ana gelou. A voz saiu esganiçada, como se escorregasse por uma brecha de boca. — Que máquinas?

Do outro lado, um suspiro profundo antecedeu a fala.

— Roçadeiras e escavadeiras. Puseram tudo abaixo... não sei bem para quê! Dizem que tem muita água debaixo daquela terra... duvido... mas água por aqui é que nem petróleo!

Ana sentiu um frio subir pela espinha. Tinha medo de perguntar, mesmo que já soubesse a resposta.

— Mas e a capelinha de santa Abigail? E os corpos que estavam enterrados ao lado?

— Os corpos, que eu saiba, tinha só um, o da filhinha de tia Ioná, mas a terra já tinha comido tudo. Trouxeram a lápide aqui para Córrego. Pusemos ao lado da tia, agora mãe e filha descansam juntas... mas eu achei uma profanação.

Ana imaginou que ele fazia o sinal da cruz enquanto falava. Não conseguia conter a ansiedade. Perguntou mais uma vez.

— E a capelinha?

— A capelinha? O que interessa é que a santa está sã e salva! Eles levaram para a tal fazenda onde foi enterrado tio Elias, mas eu tratei de ir logo pegá-la! Já a capela era apenas um barraco velho, virou pó... foi abaixo junto com a casa!

— Abaixo! Você quer dizer destruída? Tem certeza? Não é possível! — as palavras saíram atropeladas. Ana falava mais para si própria do que para Albano. — Eu não acredito! Eu sabia! Eu sabia!

Quando ela se acalmou, pôde ouvir a voz receosa do outro lado da linha.

— Ana, você está bem? — Albano deixou escapar depois de um curto silêncio. — Era só uma construção velha... caindo aos pedaços. Quanto à santa Abigail, vou eu mesmo construir a nova capela aqui em Córrego!

Ela se desculpou pelo súbito ataque.

— Você tem razão... era só uma velha construção — falou olhando para o vazio.

A busca havia terminado. Imaginou a desilusão de Pedro. A expectativa da vinda da arqueóloga, a constatação de uma descoberta única na História do Brasil. Uma sinagoga no Sertão onde cristãos-novos rezavam secretamente as orações do verdadeiro credo, do judaísmo. Reduzida a pó. Foi trazida de volta pelo chamado de Albano.

— Bom, se você conseguir avisar a prima, eu agradeço. Sinto muito, ela estava tão empolgada — vocês estavam — com o documentário... mas mesmo sem tio Elias continuamos aqui às ordens!

A conversa se arrastou por mais alguns minutos com respostas mecânicas por parte de Ana. Agradeceu as fotos do ferro de marcar boi, que, segundo o primo, continuava pendurado na parede da varanda. Aliás — ele ressaltara —, depois de olhar com bastante atenção, notou que a peça parecia uma chave, daquelas que se viam em filmes antigos, a chave de um portão imenso, ou de um castelo. Era só tirar a haste chumbada. Mas provavelmente era uma maluquice da cabeça dele, já que não havia nenhuma lógica em usar uma chave como marca da família para identificar o gado. Além do mais, se fosse uma chave teria que haver uma porta! E se despediu depois da frase de efeito.

Agora, três dias depois, Ana via o sábado amanhecer pela janela da cozinha lembrando da conversa. No dia seguinte Ioná embarcaria de volta para casa. De volta para seu destino. Quantos tortuosos caminhos tínhamos que percorrer para chegar a nós mesmos, ela pensou enquanto enchia até a boca a xícara de café. Valia para Ioná. Valia para ela.

Na volta para o quarto passou pelo escritório. Pela porta aberta vislumbrou o quadro metálico. A foto da capela estava acima de uma outra, dela com Ioná e Pedro. Mais ao canto a ampliação do ferro de marcar boi, enviada pelo primo de Córrego. Se aproximou e fitou-a por alguns segundos. Deixou-se levar pela imaginação e não foi preciso muito. Não é que lembrava mesmo uma chave? Levantou os ombros para os soltar em seguida, com um suspiro. Ainda era cedo. Esperaria pelo menos meia hora para acordar Pedro, que a essa altura já estava esparramado por toda a cama. Não eram só más notícias que ela tinha para dar a Ioná.

E se a médica tivesse escutado apenas a última das seis mensagens que piscavam na secretária eletrônica de Eva, saberia que havia muito mais de bom. Daniel estava a caminho de Nova York. Era o que tinha de ser.

57

Manhattan, NY
29 de abril de 2000

Ioná apalpou os bolsos à procura de outro cartão telefônico. A ligação caiu, mas ela tinha dito o que precisava dizer. Devia isso a Ana. No dia seguinte embarcaria de volta para a sua história, para quem ela era.
    Em menos de uma hora o dia amanheceria. Sentiu as costas pesadas e os pés doloridos da longa caminhada. Mas tinha chegado aonde queria. Chatham Square, um cruzamento no meio de Chinatown. Deu mais alguns passos até cair na St. James Place. Aproximou-se e leu a placa:

> O primeiro cemitério da sinagoga espanhola e portuguesa Shearith Israel na cidade de Nova York, 1656-1833*

---

*A inscrição se encontra numa placa, no 1º cemitério judaico de NY, em St. James Place, na Ilha de Manhattan.

Era mais conservado e maior que o cemitério da 11th Street, apesar de bem mais antigo. Lápides esparsas de pedra resistiam alheias ao tempo, fincadas ou deitadas diretamente sobre a terra, ao lado de uns poucos túmulos, também de pedra ou mármore. Algumas tinham só a ponta de fora, como se dessem o último suspiro antes de afundar no mato que crescia em volta. Os nomes já haviam se apagado há décadas, quem sabe séculos. Uma árvore de copa larga e verde descansava ao fundo. Folhas esparramadas no chão. Com a cabeça entre as grades do portão de ferro Ioná simplesmente olhava, sem nada procurar. Ali foram enterradas pessoas que vieram de onde ela era.

Foi só quando o céu ficou rosa, refletindo os primeiros raios do sábado, que ela percebeu o pequeno canteiro. Numa brecha entre o muro do cemitério e os prédios, uma flor crescia sem timidez, mesmo que fosse pouca a luz que conseguia penetrar naquele espaço. Como se ela estivesse ali há tanto tempo, que o sol tivesse se acostumado a visitá-la todos os dias. Era um lírio. A flor preferida de tia Ioná, lembrou-se do coveiro no dia do enterro.

Talvez houvesse uma maneira de ver a flor de perto, Ioná pensou ao mesmo tempo que contornava o muro gradeado. Estava certa, havia uma passagem por trás de um dos prédios, ao lado de uma igreja. Seguiu pelo caminho que como um funil invertido começava estreito para abrir-se em um larguinho facilmente banhado pelo sol. Do outro lado, de onde acabara de sair, era impossível perceber aquele pedaço de paraíso. Mais ainda, o senhor sentado em uma banqueta que afofava a terra enquanto a molhava com um regador. Era ele novamente. Menachem. Ioná logo percebeu. Ela estava no Jardim de Aba.

Ficou sem saber se chamava por ele, se esperava que se virasse ou se simplesmente guardava aquele momento e ia embora. Mas não precisou decidir. A voz se levantou antes do corpo.

— Por um momento pensei que havia me seguido — Menachem falou enquanto limpava as mãos com um lenço —, mas você estava tão absorta, agarrada às grades, que devia estar ali bem antes da minha chegada...

Ioná se aproximou e abaixou para ver o canteiro de perto. Havia margaridas, flores-do-campo, alguns botões de rosa. Todas em volta de um único lírio. O mais belo que ela já tinha visto.

— É tão lindo, a flor preferida de uma tia muita querida — lembrou-se mais uma vez das palavras do coveiro. — Como é possível tanta vida no lugar onde ela termina?

— Talvez porque ela não termine... Os cemitérios guardam um infinito de possibilidades, de histórias que poderiam ter sido... como a desse jardim!

A resposta foi a deixa. Ioná virou-se e perguntou sem floreios.

— É verdade o que dizem? Que este jardim é mantido há mais de cem anos por sua família? Como é possível?

Ele sentou-se na banqueta com as mãos apoiadas na perna. Demorou alguns segundos para falar.

— É verdade... Há quase três séculos meus antepassados tornaram-se guardiões deste espaço... desde o tempo em que a cidade ainda não tinha subido — ergueu os olhos apontando os prédios atrás e ao lado. — Podia-se ver o Brooklyn daqui.

— Mas e este único lírio? Foi o senhor que plantou? — Ioná falou enquanto acariciava as pétalas brancas.

Menachem demorou alguns segundos para responder. Quando a voz saiu, o tom era de nostalgia.

— Eu vou lhe contar uma história. A primeira vez que vim aqui eu tinha 13 anos — e lá se vão quase setenta, fez um parêntese —, acompanhava meu avô, e depois meu pai, todos os sábados. Ficavam horas a mexer a terra, podar, fazer novas mudas de lírios. Nasciam, morriam. Só este se mantinha. Eu era um cético... e, quando meu pai dizia que o lírio havia sido plantado quando a cidade ainda era Nova Amsterdã, eu ria! Ele me encarava nos olhos, balançava a cabeça e dizia: "Menachem, um dia você vai entender... o amor tem o poder da eternidade, se ele vive em nossos corações, e pode perpetuar-se até numa flor. Este lírio foi plantado com amor e é de amor que ele se alimenta!" Anos mais tarde, quando conheci minha Faiga, finalmente compreendi o que meu pai queria dizer... e pude tornar-me também um guardião.

Fez sinal para que Ioná chegasse mais perto e sentisse o aroma que se misturava ao ar ainda fresco da manhã.

— Feche os olhos e respire fundo... você reconhece este cheiro? — Ioná puxou o ar e com ele um conjunto de sensações. Não havia explicação. Era o cheiro de Daniel.

Ela abriu os olhos perturbada.

— Não precisa dizer nada, apenas sinta — Menachem não se enganara, Ioná não cruzara seu destino por acaso. — Este único lírio é fruto da semente de um amor eterno e verdadeiro. Foi plantado por um homem que só percebeu a real dimensão desse amor quando era tarde demais. Mas nunca deixou que ele morresse.

Ioná aspirou mais uma vez, querendo guardar aquele cheiro dentro dela para sempre.

— É tão comovente... só não entendo o nome... por que Jardim de Aba? Me disseram que era uma referência a Abraão... o pai de todos nós... não vejo lógica — falou meio confusa.

O velho Menachem ajeitou a quipá, presa aos poucos tufos brancos que restavam ao redor da careca, e soltou uma gargalhada seguida de um levantar de ombros.

— Por isso não dou ouvidos ao que dizem os outros! Aqui vive o amor de um homem, o amor de um homem por uma mulher — continuou reticente —, e que o tempo aprisionou. Este homem morreu sem nunca perder a esperança de reencontrar sua grande paixão. Chegou com os primeiros de nós, só que clandestino. Jovem, nascido judeu no Brasil, teve que fugir quando os portugueses expulsaram os holandeses. Precisava salvar o pai cristão-novo que judaizava. O preço foi alto, abandonou a amada, também da Lei de Moisés, como ele. A promessa de voltar para buscá-la nunca foi cumprida. Logo que chegou por aqui, plantou o lírio, que era o símbolo da união dos dois, para eternizar a lembrança de uma única noite de amor. Viveu só, e somente para este jardim. No leito de morte pediu ao único amigo, meu antepassado, que cuidasse daquela flor, pois, enquanto ela vivesse, viveria a esperança do reencontro... e por 11 gerações cuidamos do lírio! O lírio de Abigail. Era esse o nome da amada. O jardim... de Ab, como ele a chamava.

— O jardim de Ab... então é o jardim de Ab! De Aba, de Abigail! — era como se um raio tivesse atingido a mente de Ioná, lançando fragmentos para todos os lados.

—... E eu sou o último guardião. — Menachem completou.

Ioná não ouvia mais nada. *Nela se fez semente, ó Pai, e levará tua descendência.* A frase na capela do sítio da Estrela martelava a cabeça. Assim como a imagem da santa, com a criança no colo. Mãe e filha. Ela tinha certeza. Era Abigail com a primeira Ioná no colo. A mulher que despertara todo este amor era sua antepassada. *Coronel Rufino casou-se com uma viúva que veio com a filha de Portugal.* Abigail era a enteada que morrera tão cedo, provavelmente no parto. Podia escutar a tia como se ela estivesse ali, as mesmas palavras sussurradas durante a conversa em Córrego: "o divino levou ela bem jovem mas trouxe a primeira de nós." Tudo se encaixava. Pedro não ter encontrado nenhuma referência sobre a santa de nome Abigail, o manto com a flor-de-lis. O oratório com a flor-de-lis. A primeira letra da oração sagrada... o símbolo da união dos dois. Quanto mais forçava a memória, mais compartimentos se abriam. *A primeira Ioná teria nascido por volta de 1650.* Ioná podia quase afirmar. O bebê nascera logo após a expulsão dos judeus do Recife. O pai verdadeiro nunca soubera da existência da criança. E coronel Rufino, que não tinha filhos, adotou a recém-nascida e a criou junto com a esposa — a avó — como filha legítima. Assim mantiveram secretamente a religião dos pais de sangue. Mas havia várias perguntas sem resposta e que provavelmente ficariam assim para sempre.

Ioná sabia também que eram apenas suposições, mesmo que abrissem um novo caminho. A verdade é que tia Ioná sempre se referira ao coronel Rufino como aquele que criou a primeira Ioná, nunca dissera a palavra pai. A conclusão tinha sido dela e de sua forma de ver as coisas sem respeitar as entrelinhas. Será que a tia teria levado para o túmulo uma outra história? Saberia ela quem era esse apaixonado que manteve o amor vivo em um coração dilacerado pela saudade? *Ioná, na hora certa você saberá o que lhe é de direito saber. E passará a seus filhos.* Parecia ouvir a voz da tia-avó, tão clara como naquela tarde em Córrego do Seridó. Mas de que adiantava isso agora?

Ao mesmo tempo que foi tomada por uma onda de euforia, também foi inundada pelo desânimo. Jamais poderia provar nada daquilo. Um delírio, diriam, então você é descendente de um judeu clandestino que ajudou a fundar Nova York? Seria motivo de piada.

Ioná não soube precisar quantos minutos se passaram entre ouvir o nome de Abigail e ser invadida por um sem-fim de questionamentos e hipóteses. Quando caiu em si, notou que o velho Menachem a observava calado, como se dissecasse sua alma. Lembrou-se da conversa da noite anterior. *Por que você precisa provar quem você é? Você não sabe quem você é?* Ele estava certo.

O que importava é que ela sabia quem era. E com esta certeza chegara até ali. Queria falar para o velho Menachem que ele não se preocupasse. Ele era o último guardião mas o amor que alimentava aquele lírio crescia dentro dela. Talvez tivesse chegado o momento de aquela flor descansar.

— Está na hora de ir — ele quebrou o silêncio enquanto colocava a banqueta e os apetrechos de jardinagem em uma pequena abertura, no muro ao lado do cemitério. — O sol vai esquentar e tenho uma longa jornada até em casa! — completou aproximando-se dela.

— Obrigada. Muito obrigada — foi só o que Ioná conseguiu falar, mesmo sabendo que ali se despediam para nunca mais se verem.

Ele pigarreou. Ioná percebeu que era um sinal para que também fosse embora. Mas estava enganada.

— A menina pode ficar um pouco mais, se quiser... foi um prazer conhecê-la — fez uma leve reverência com a cabeça. Os olhos marejados disseram o resto, enquanto ele se afastava.

Menachem já estava quase entrando na estreita passagem que levava até a rua quando Ioná gritou.

— O senhor sabe o nome dele? — a pergunta congelou no ar.

— O nome dele? — Menachem fez uma pausa. — O nome dele era Yonah... em português, Jonas. Jonas da Aliança — respondeu pouco antes de desaparecer entre os prédios.

Ioná ficou sozinha, o coração batendo forte. Ela então chorou. Chorou como nunca tinha chorado, chorou com muita alegria. Yonah. Jonas. Jonas da Aliança. Da Aliança da circuncisão. Do pacto de Abraão, do *Brit milá*. Jonas do Brit. Yonah do Brit. Ioná de Brito. Era um recomeço. Procurou uma pedrinha e colocou ao lado do lírio. Rezou a oração dos mortos. Agora Jonas podia descansar em paz. Quanto a ela, guardaria aquela história para um dia contar à criança que, tinha certeza, carregava no ventre. Fosse mais uma Ioná ou, quem sabe, outro Jonas.

EPÍLOGO

João Pessoa
22 de abril de 2000, uma semana antes

No centro de distribuição dos correios, em João Pessoa, a embalagem com as diversas etiquetas de frágil foi colocada no alto da pilha. Chegara cheia de recomendações. Um embrulho retangular, que havia sido postado em uma localidade do interior da Paraíba.

A única funcionária da pequena agência fizera o pacote, reforçado com plástico bolha. Há tempos não via por ali o senhor dos olhos azuis, genro de um fazendeiro da região. Segurava com as duas mãos um oratório simples, com pouco ornamento, e bem antigo, a julgar pelas ranhuras na madeira.

A funcionária fez um comentário em tom de elogio, e apenas por educação, enquanto escrevia cuidadosamente o endereço, uma rua na periferia da capital. Depois colocou o nome do destinatário: Ioná Mendes de Brito Cunha Medeiros. Em seguida, o do remetente: Ioná Mendes de Brito Fernandes. Pesou e passou o valor. O velho pagou e saiu. A hora dele tinha chegado.

O começo

Como pode um coração dividido optar pelo amor se é do abandono dele que depende a sobrevivência dos de seu sangue? Meu pai não emitiu palavra desde o dia em que os portugueses tomaram a cidade. Agora é findo o prazo para que os que renegaram os sacramentos do batismo deixem o país sob pena de serem entregues aos oficiais da Inquisição. Meu pai fez o pacto com Abraão e cuspiu na imagem de madeira. Espalhou a aliança aos quatro ventos. Diferente de mim, que nasci na Lei de Moisés. Eu posso ficar. Contra mim não há acusações. Perseguição, sim, mas não acusações. Aqui tenho você, dona do meu coração, que faz girar o sangue que movimenta meu corpo. Sem você não posso viver. Mas como conseguirei viver com a culpa de ter lançado meu pai às terríveis labaredas do Santo Ofício? E mais, como conseguirei viver à sombra, com a cabeça baixa, chamando a mínima atenção sobre mim? Nossos filhos serão filhos da vergonha. Eu, o primeiro judeu depois de tantas gerações de conversos. Eu, que nasci livre no Novo Mundo. Eu, que vivi para que a morte de meus antepassados não tenha sido em vão. Sinto muito, não posso baixar a cabeça. Sim, meu pai, parto contigo. Ou melhor, tu partes comigo. Não porque tenha prometido à mãe, cujo corpo ainda é quente sob a terra. Mas porque quem nasce livre não *pode acorrentar-se ao medo. Não pode apenas sobreviver. Um dia voltarei, Abigail, e serei livre na terra que me escolheu para nascer.*

Yonah Ben David — Jonas, judeu da Aliança
SHEVAT, 5414 — Janeiro, 1654

... E assim começa tua história, no ano do teu nascimento. Teu pai veio ter em Estrela com a promessa de voltar em breve para levar tua mãe Abigail, minha única filha. Ainda não eram marido e mulher. Mas naquela noite da despedida, em uma cerimônia secreta, celebrada por teu bisavô Isaac, casaram-se com a lua e o céu como testemunhas. Para comemorar a união, teu pai talhou a primeira letra da oração sagrada, o Shemá, em forma de flor, e deu a tua mãe. Tiveram apenas uma noite, abençoada com a graça da vida. Por três meses você cresceu sem que houvesse sombra da tua existência. Quando vieram os enjoos tua mãe veio ter comigo e contou da bênção que crescia dentro dela. Eu, por obra do destino — e tu vais saber já por quê — também contei-lhe que finalmente daria um filho a Rufino, homem bom que cuidou de nós depois da morte de teu avô de sangue, Moise Mendel. Para os da rua, Moacir Mendes. Mas quis aquele que tudo orquestra que a mim fosse dado um filho natimorto e à minha Abigail, tua mãe, só fossem concedidas as dores do parto e umas poucas horas de maternidade. Chegou a te dar o peito e saber que eras mulher. Tempo suficiente para pedir-me que te nomeasse Ioná, em homenagem a teu pai Yonah, e te passasse a flor de madeira para jamais esqueceres de onde vinhas. Teu avô postiço Rufino, que passaste a chamar de pai, então decidiu que tu serias criada como nossa. Serias o filho que Deus não lhe dera do sangue. Temeroso da tua sorte, construiu um oratório, também de madeira, onde fixou a flor abaixo da cruz. E foi nele que ganhaste nome no primeiro *Shabat* após teu nascimento. Teu pai postiço Rufino era homem muito simples, como bem lembras, mas com muitos braços para o trabalho. Cuidou e fez prosperar o que nos deixou meu Moise. Quando nasceste, isto tudo era grande e ele era chamado coronel. O que só vim a saber depois do teu nascimento é que este bom homem, além de nenhum estudo — não desenhava uma letra —, não tinha tampouco sobrenome ou família. Não havia registro dele na terra. Então por isso és a primeira! Quando ainda eras semente no ventre da tua mãe, chegou por cá um amigo de teu bisavô Isaac com notícias do litoral. Teu pai de sangue conseguira embarcar clandestino — junto com teu avô — em um dos navios que deixara Mauritsstad rumo ao Velho Mundo. Antes de partir, pediu que fosse entregue a tua mãe Abigail esta chave, que lhe passo agora. A chave da casa onde os judeus se reuniam em esnoga. A chave que fora dada, pelo próprio rabino, ao primeiro judeu nascido no Brasil livre: Yonah, seu pai. Jonas da Aliança. Quando era chegado o momento de dar teu nome, o coronel perguntou ao teu bisavô Isaac por que teu pai de sangue era chamado assim. E ele respondeu que era por causa da Aliança com o eterno pela circuncisão, a *Brit milá*. Pois foi quando o coronel disse que era aquele o sobrenome que tu carregarias, junto ao da tua mãe, e que também seria o dele, coronel, dali para a frente. Assim tu deste ao coronel um nome e a teus pais legítimos a possibilidade de uma descendência. Jamais te esqueças disso. E que a cada geração exista uma Ioná Mendes de Brito.

GLOSSÁRIO

AFIKOMAN — Pedaço de matzá que é escondido no início do seder de Pessach e, após o jantar, é procurado pelas crianças. Quem achar ganha um prêmio.
AMISHAV — Organização judaica que busca comunidades escondidas e ajuda no retorno ao judaísmo.
BEIT DIN — Tribunal rabínico.
BESHERT — "alma gêmea", aquele que é predestinado, a outra metade.
BIMÁ — Local onde se coloca a Torah para leitura, na sinagoga.
BNEI ANUSSIM — Filho de forçado, descendente dos conversos.
BRACHÁ — Bênção.
BRIT MILÁ – Aliança da circuncisão.
CHABAD-LUBAVITCH — Vertente mais difundida do movimento hassídico.
CHAG SAMEACH — Expressão utilizada no feriado judaico de Pessach para desejar felicidade ao outro.
CHALÁ — Pão trançado.
GEFILTE FISH — Bolinho de peixe típico da culinária judaica.
GOY — Não judeu.
HAGADÁ — É o texto usado na noite do Pessach, quando se faz a leitura da história da libertação do povo judeu do Egito.

HALACHÁ — Lei judaica.

KARPÁS — Verdura, geralmente aipo ou salsa, mergulhada na água e sal, que é comida no seder do Pessach.

KEARÁ — Nome de um prato, com alimentos simbólicos, do Pessach.

KETUBÁ — Acordo nupcial judaico.

KIDDUSH — Bênção recitada sobre o vinho no *Shabat* e nas festas judaicas.

KIPÁ — Pequeno chapéu, em forma de circunferência, que os judeus usam para cobrir a cabeça.

KOSHER — Alimento próprio para consumo para os judeus, de acordo com a Lei judaica.

L'CHAIM — À vida, saudação usada para brindar.

LUBAVITCHER — Seguidor do Chabad-Lubavitch.

MATZÁ — Pão assado sem fermento, feito somente com farinha e água. Muito utilizado durante o Pessach, onde não se pode comer fermentados.

MEIDELE — Menina.

MENOROT — Plural de menorá, o candelabro de sete braços.

MEZUZÁ — Peça presa ao batente, do lado direito, da porta de entrada da casa e dos aposentos. Dentro está uma inscrição sagrada que abençoa o local.

MEZUZOT — Plural de mezuzá.

MIKVÉ — Banheira, com água natural, onde se faz a imersão ritual judaica.

MITZVOT — Plural de Mitzva, mandamento. Ao todo são 613 mandamentos na Torá.

MOSHIACH — Messias.

MURO DAS LAMENTAÇÕES — Local mais sagrado do judaísmo. É a parede que sobrou do segundo templo, na cidade velha de Jerusalém. Costuma-se colocar entre as pedras do muro pedaços de papel com pedidos e orações.

PESSACH — Páscoa judaica, libertação do povo judeu do Egito.

PEYOTS — Cantos, costeletas, cacho de cabelo que se estende da frente das orelhas até abaixo do maxilar. A Torá diz que não se pode arrendondar o peyot da cabeça.

RAV — Mestre, aquele que possui muito conhecimento.

REBE — Mestre, professor. Líder do hassadismo, movimento ortodoxo judaico, fundado no século XVIII.

SANHEDRIN — Sinédrio, assembleia de 23 juízes judeus.

SEDER — Jantar comemorativo do Pessach.

SHABAT — Sábado, o dia do descanso.

SHEMÁ ISRAEL — "Ouça Israel." As duas primeiras palavras da oração: "ouça Israel, Ado-Nai nosso D'us é um um."

SHIN — A letra S.

TANAKH — Equivale ao Antigo Testamento da Bíblia, só que com uma divisão diferente: os cinco livros do Pentateuco (Torá), profetas e escritos.

TORÁ — Instrução; a Lei de Moisés, formada por cinco livros: gênese, êxodo, levítico, números e deuteronômio.

TSHUVÁ — Retorno.

YOM KIPPUR — Dia do perdão, do arrependimento.

NOTA DO AUTOR

A principal fonte de informações para este romance foram as pesquisas feitas para os documentários "A Estrela Oculta do Sertão", lançado em 2005, e "Caminhos da Memória — A Trajetória dos Judeus em Portugal", lançado em 2002, em coautoria com Elaine Eiger.

Alguns trechos do documentário "A Estrela Oculta do Sertão" foram adaptados para o livro.

Devo créditos muito especiais a Elaine Eiger, afinal esta história, de certa forma, começou em 2000 quando partimos para Portugal atrás das raízes judaicas do Brasil e, dois anos depois, nos embrenhamos no Sertão!

Foi por causa dos documentários que mergulhei no tema de forma apaixonada. Li muito, fui a campo, escutei histórias incríveis e conheci pessoas fascinantes que muito me inspiraram.

Por isso, devo créditos também muito especiais para a historiadora Anita Novinsky, o médico Luciano Oliveira e o genealogista Paulo Valadares. Eles foram o ponto de partida para a composição dos personagens Ethel, Ioná e Pedro. Mais do que aulas de História, tive com eles verdadeiras lições de vida e generosidade. Obrigada por compartilharem conhecimento e experiências.

As conversas com os rabinos Abraham Zayac, Daniel Touitou e Samy Pinto — que participaram do documentário "A Estrela Oculta do Sertão" — foram esclarecedoras e fundamentais para entender os processos de conversão e retorno ao judaísmo.

A arqueóloga Celia Valaderos é uma homenagem a arqueóloga portuguesa Carmem Balesteros, que conheci durante a realização do documentário "Caminhos da Memória", gravado em Portugal. O genealogista Macieira, uma homenagem a Marcos Filgueiras, de Mossoró, estudioso das raízes judaicas do Nordeste.

O personagem Menachem é dedicado a João Medeiros, judeu retornado de Natal, Rio Grande do Norte, com quem aprendi muito sobre marranismo e fé.

AGRADECIMENTOS

À Luciana Villas Boas, por ter aberto o e-mail de uma desconhecida e dado o primeiro passo para que este livro fosse publicado. Obrigada por ter apostado em mim.

Às editoras Ana Paula Costa e Livia Vianna, pelo empenho e envolvimento durante todo o processo que me fez chegar até aqui.

À família, aos amigos de toda a vida e aos que estão sempre por perto, e aos que estavam próximos quando este livro foi escrito: Bia Vaz, Fafá Serra e Mônica Marques (onde quer que você esteja) e também a Routi Holcman por toda a consultoria judaica e otimismo constante.

A todos que tiveram a paciência de ler o manuscrito, em especial minha madrinha, Maria José, pelas palavras de incentivo de quem viveu mais de quarenta anos entre os livros.

Este livro foi composto na tipografia Chaparral
Pro Regular, em corpo 11,5/15, e impresso em
papel off-white no Sistema Digital Instant Duplex
da Divisão Gráfica da Distribuidora Record.